Lux, Joseph Au

Die Kunst im eigenen Heim

Ratgeber fuer die Ausstattung der Mietwohnung

Lux, Joseph August

Die Kunst im eigenen Heim

Ratgeber fuer die Ausstattung der Mietwohnung

Inktank publishing, 2018

www.inktank-publishing.com

ISBN/EAN: 9783750130357

Die
Kunst im eigenen Heim

Ratgeber
für die Ausstattung der Mietwohnung

Von

Joseph Aug. Lux

Mit zwei Abbildungen

Leipzig

Druck und Verlag von Philipp Reclam jun.

Vorwort.

Der Geschmack in Wohnungssachen hat in den letzten fünfzehn Jahren eine durchgreifende Umwälzung erfahren. Fast jedermann sieht sich genötigt, in seinem häuslichen Umkreis dem veränderten Zeitgeist Rechnung zu tragen. Wir haben es heute mit Möbelformen und Ausstattungsprinzipien zu tun, die grundverschieden von denen sind, die vor fünfzehn Jahren Gemeingut waren. Von England ausgehend, haben sich neue Konstruktionsprinzipien auch bei uns Geltung verschafft. Das Schaffen der Künstler, die sich dem Gewerbe zugewendet hatten, förderte die Entwicklung eines neuen Wohnungsstils, der den einschlägigen Produktionszweigen, dem Möbelmarkt, und folglich dem bürgerlichen Heim eine ganz neue Physiognomie aufdrückte. Der Belgier van de Velde hat in Deutschland bahnbrechend gewirkt und in gewisser Beziehung das englische und schottische Beispiel übertroffen. Andere Künstler in Deutschland sind diesen Anregungen gefolgt, teils mit großer Selbständigkeit ihre Eigenart betonend, teils die dargebotenen Beispiele und Vorbilder verwertend und zu allgemeinen Typen umformend. Unter den schöpferischen Künstlern sind als die wichtigsten neben van de Velde zu nennen: Pankok, Obrist, Behrens, Olbrich, sowie der Künstlerkreis der Wiener Werkstätte mit Joseph Hoffmann und Kolo Moser an der Spitze. Zu den Typenbildnern gehören Bruno Paul, Riemerschmied, Schultze-Naumburg. Hieran schließt sich ein starker kunstgewerblicher Nachwuchs, Möbelzeichner, die in allen Städten und größeren Betrieben

1*

mit mehr oder weniger Geschick den empfangenen Direktiven
folgen. Die neuen allgemeinen Grundsätze, die natürlich auch
der persönlichsten Schöpfung zugrunde liegen (das Persönliche ist
immer der künstlerische Mehrwert), fangen an, Gemeingut zu
werden. Immer weitere Kreise des Publikums interessieren sich
dafür, um für die eigenen Anschaffungen sichere Anhaltspunkte
zu gewinnen. Diesem Zweck dienen die folgenden Ausführungen.

Die hier formulierten Erfahrungssätze hat der Autor als
gewissenhafter Beobachter und Wortführer der deutschen Kunst=
gewerbebewegung, die im Prinzip abgeschlossen ist und feststeht
— wenngleich es für den künstlerischen Genius weder Abschluß
noch Stillstand gibt — gewonnen; mögen sie in dieser populären
Form als Schlußstein dieses mehr als zehnjährigen geistigen
Anteils nun einem weiten Publikum, das Belehrung und För=
derung in seinen Geschmacksbedürfnissen sucht, zum Nutzen ge=
reichen.

Joseph Aug. Lux.

Die Kunst im eigenen Heim.

1. Tradition und Neuzeit.

Ein verblühtes Lächeln von Liebenswürdigkeit und lebensfrohem Behagen ist an den Dingen der Biedermeierzeit abzulesen. Zu den hellgelben Kirschholzmöbeln oder den nachgedunkelten Mahagonimöbeln, zu der unerdenklichen Fülle von Formen, Schränken und Tischen aller Art, Damenschreibtischen und Nähtischen, stummen Aufwärtern und Kommoden, zu den großblumigen Möbelbezügen und den hellen Gardinen, den Blumen am Fenster und den gestickten Glockenzügen, zu all der gefühlsseligen Geburtstagslyrik, die den Proben des häuslichen Kunstfleißes von den Schlummerkissen bis zu des Hausvaters Samtkäppchen oder Samtpantoffeln, eingewebt war, gehören die Locken, an der Schläfe, unter den bebänderten Florentinerhüten hervorquellend, die weißen duftigen Tüllkleider oder schwere Seide in abgetönten sentimentalen Farben, Heliotrop, Dunkellila, Altrosa und Schwarz. Schwinds Frauengestalten mag man sich dabei gerne vorstellen. Der spätgeborene Enkel blickt mit einer gewissen affektierten, halb spöttischen, halb gönnerhaften Überlegenheit, hinter der sich nur allzuoft eine

unbefriedigte Sehnsucht verbirgt, auf jene großelter=
lichen Tage zurück, in denen sich das Bürgertum auf
seine Art auslebte, und zu jener Einheit der Lebens=
äußerungen gelangte, welche die Bezeichnung Stil ver=
dient. Eine spätere Zeit hat diesen Stil „Bieder=
meier" getauft. In diesem Worte verdichtet sich für
uns die Vorstellung einer vollkommen durchgebildeten
bodenständigen Kultur, die in ungebrochener Linie von
den gewöhnlichen Tageserscheinungen bis zu den Gipfel=
punkten, welche die Namen Grillparzer, Schubert,
Schwind bezeichnen, emporsteigt. Und ein sonnenhaf=
tes Lächeln umspielt heute alle Lippen, welche dieses
Wort nennen. Man war nicht immer so freundlich
gesinnt. Die jüngst verwichene Zeit, die dem Kultus
der historischen Stile frönte, hat in das Wort Bieder=
meier jenes Maß von unsäglicher Verachtung hinein=
gelegt, die der Kosmopolit, auch der vermeintliche, für
das Spießbürgertum immer bereit hat. Das Wort
war eigentlich nur gemünzt als Bettelpfennig für alles
Lächerliche, Gezierte, Hausbackene, Philisterhafte, das
man, wenn man durchaus will, der Schmachtlocken=
zeit anmerken konnte. Aber die Zeiten haben sich gründ=
lich geändert und der Kosmopolitismus, der in allen
Stilepochen lebte und einen wahren Unrat von Ge=
schmacklosigkeit und Widersinnigkeit häufte, hat einen
gräßlichen Katzenjammer hinterlassen. Wir suchen
heut alle volkstümlichen Kunstelemente auf, die wurzel=
haft sind, sofern sie nicht in den letzten fünfzig Jahren
mit Stumpf und Stiel ausgerottet wurden. · Wir
knüpfen dort wieder an, um uns durch ihr Vorbild zu
stärken, damit auch wir zu Formen gelangen, in denen
unser Volk und unsere Zeit lebt und die vom ge=
wöhnlichsten Alltag bis zu den ergreifendsten Äuße=

rungen festlicher Weihe nur eine ungebrochene Linie
aufweisen.

Und wie es oft erging, was anfänglich Schimpf-
wort war, ward späterhin Ehrentitel. Biedermeiers
Ehrenrettung kann nicht schlagender dokumentiert werden, als durch den liebevollen Eifer, der das alte Ge-
rümpel vom Speicher, wohin es jahrzehntelang verbannt war, wieder herunterholt und in den schönsten
Zimmern aufstellt. Das ist gewiß ein rührender, herz-
erfreuender Vorgang, wenn sie wirklich alter Familien-
besitz, wenn sie also echt sind. Zwar werden solche
Zimmer, die vollständig mit altem Hausrat angefüllt
sind, den Eindruck eines Museums machen, aber ein
solches Familienmuseum, mit dem sich viele freundliche Erinnerungen verknüpfen, wird immer ein beson-
derer Schatz sein. Weit über den persönlichen Wert
hinaus, besitzen sie die Kraft eines lehrreichen Bei-
spiels, das für den Ausbau unserer häuslichen Kultur im großen Sinne vorbildlich ist. Sie sind die
Vorläufer des modernen Möbels. Mit ihrer bezwin-
genden Einfachheit und Anspruchslosigkeit waren die
Räume geeignet, die Gebärden und Bewegungen jener
gemüt- und geistvollen Menschen maßvoll aufzunehmen, die Stimme des Geistes und Herzens austönen
zu lassen, ohne sie durch den Unrat der Geschmack-
losigkeit, durch die Wirrnis von Schnörkel und Stil-
brocken, in denen babylonisch die Sprachen aller Zeiten und Völker ertönen, zu beschämen und lächerlich
zu machen. Aus allen Winkeln jener Interieurs,
zwischen dem ernsten, einfachen Hausrat, hinter den
weißen Gardinen und zwischen den Blumen am Fenster winkt der genius loci freundlich hervor, und es
ist kein Stuhl und kein Schrank, kein Gegenstand des

Gebrauches, der nicht den Geist der Vorfahren trüge, ihre Taten, ihre Ideale, das Wesen ihrer Persönlichkeit und ihr Gedächtnis überlieferte. So erscheint uns Späteren das großväterische, anspruchslose Biedermeierzimmer als das traute Heim von Menschen, denen die Heimat nicht nur ein Wort oder Begriff war, sondern der gesetzmäßige, künstlerische Ausdruck der Persönlichkeit in den Gegenständen der Häuslichkeit. Die Interieurs früherer Epochen, die der Biedermeierzeit vorausgehen, besitzen keine solche Vorbildlichkeit. Auch nicht das Empiremöbel, in dem die große Historie des barocken Zeitalters ausklingt. Denn die Voraussetzungen, die jene historischen Formen geschaffen haben, sind von den heutigen grundverschieden. Hof und Kirche herrschten auch in Kunst und Kunstgewerbe. Aber es ist für die Einheit jener Kultur bezeichnend, daß die überladenen Formen, in denen das Machtbewußtsein der weltlichen und geistigen Herrschaft adäquaten Ausdruck fand, in einem Grade volkstümlich wurden, daß sie schließlich bis in den einfachsten Haushalt eindrangen, als Abglanz absolutistischer und sazerdotaler Herrlichkeit. Die Armut der barocken Originalschöpfungen, die nicht über die Repräsentationsräume hinausgingen und das persönliche oder private Leben in einem Zustand grenzenloser Verlassenheit beließen, ist noch wenig beachtet. Dem Parvenü am Ende des Jahrhunderts erging es wie den Kindern mit dem Märchenkönig: „Wie wohnten doch die Könige so schön!" ruft er in den Prunksälen eines alten Barockschlosses aus, „so möchte ich es auch haben!" Und alsbald hat er eine stilgerechte Einrichtung, alles in billigster, banalster Nachahmung. Das Um und Auf der barocken Interieurs bestand aus Stühlen und Tischen, aus dem Paradebett und dem Sofa. Im übrigen wohnten auch die Fürsten in einem denkbar schlechten Zustand und entbehrten alle Bequemlichkeit, die heutzutage jedem gewöhnlichen Sterblichen eine selbstverständliche und unentbehrliche Sache ist. Wer die prunkenden Barockpaläste durchwandert, die von den alten Adelsgeschlechtern noch bewohnt werden, findet am Ende der überladenen Prunksäle, gewöhnlich im Obergeschoß, einige einfache, mit bürgerlicher Behaglichkeit, meistens im Empire- oder Biedermeierstil eingerichtete Gemächer. Das ist die eigentliche Wohnung der Familie. Es liegt eine feine Ironie in dieser Erscheinung, daß der Adlige, der Fürst, um der niederdrückenden Wucht seiner Repräsentations- pflichten zu entgehen, seine Zuflucht zur bürgerlichen Schlichtheit und Bequemlichkeit nimmt, während der Parvenü des 19. Jahrhunderts all sein Behagen hin- gibt für das bißchen Talmiglanz einer „stilgerechten“ Wohnung. In der Tat mußte der ganze Reigen historischer Stile in atemloser Hetze wiederkehren, ehe man sich wieder zu dem vernünftigen Standpunkte zu- rückfand, auf dem bereits unsere Großeltern standen. Die ganze Barocke hat nicht eine Form übriggelassen, die für die heutige Kultur brauchbar wäre. Sie bedeutet einen Abschluß. Die französische Revolution hat sie nebst dem ganzen absolutistischen Königtum hinweggefegt. Ein strammer militärischer Zug geht durch die näch- sten Jahrzehnte. Der kaiserliche Stil trägt den Be- dürfnissen der Zeit Rechnung, aber Empire ist noch sehr aristokratisch. Mit dem Glanz der Napoleonzeit verschwand auch der Empirestil; aus dem Kosmopo- litismus und seinem politischen Katzenjammer flüchtete man ins alte romantische Land, Uhland, Eichendorff,

Schubert weckten die schwärmerische Liebe zur Natur, und ein Einschlag des ländlichen Elementes, wohl auch schon damals der Einfluß Englands in Modedingen, führte zu den biderben, quadratischen und zylindrischen Formen des Biedermeier=Möbels, an dem Reminis= zenzen aus dem Barock= und Empirestil als dekorative Details hängenblieben. Das Bürgertum schafft die Formen, die es braucht. Es will nicht glänzen, nicht präsentieren, sondern bequem und behaglich leben. Es erfüllt seine Forderungen mit strenger Sachlichkeit und zugleich mit einem Erfindungsreichtum, der erstaun= lich ist. Unsere Möbeltypen wurden damals geschaffen. Und es bewahrt meistens eine Feinsinnigkeit, von der wir uns nicht immer einen richtigen Begriff gebildet haben. Es ist die Zeit Adalbert Stifters. Er ist der vollgültige Repräsentant seiner Zeit, Biedermeier im besten Sinne. Er erschließt uns die Interieurs seiner Zeit und die Interieurs seiner Traumwelt, und läßt uns alles miterleben, was wir beim Betreten eines Altwiener Raumes heute noch nachzuempfinden ver= mögen. Alle Räume dieser Art sind schwer zugäng= licher Privatbesitz, nur mehr spärlich in Vollständig= keit erhalten, meistens als Trödelgut verschleudert, da und dort ein Stück. Die Museen, die im Banne der Kunstgeschichte stehen, hielten sich für zu vornehm, diese Dinge zu sammeln und auch die Lebensart unserer Großeltern zu zeigen.

Nun wird die Frage laut, was wir mit diesen verjährten Dingen, die so freundlich zu uns sprechen, anfangen sollen. Sie nachahmen? Das hieße ein altes Laster, das wir beim Haupttor hinaustreiben, durch ein Hinterpförtchen wieder hereinlassen und den Zirkel der Stilhetze mit diesem letzten Glied schließen.

Wie von allem Vergangenen, trennt uns auch von
der Biedermeierzeit eine tiefe Kluft. Dennoch sind diese
Dinge wertvoll durch das Beispiel, das sie lehren. Sie
lehren, wie die Menschen von damals sich's bequem und
gemütlich nach ihrer Art einrichteten, und solcherart
zu Ausdrucksformen gelangten, die organisch aus dem
Leben und seinen Forderungen hervorgegangen waren,
vielleicht hier und da ein bißchen unbeholfen und
schwerfällig, im ganzen aber unbekümmert, treuherzig
und bieder. Sie lehren, daß wir es auch so machen
müssen. Der Lebende behält Recht. Viele Dinge sind
konstruktiv so vollkommen, daß man sie fast unver=
ändert aufnehmen könnte, wenn nicht unsere Zeit doch
wieder ihre eigene Art hätte, sich auszuprägen. Was
uns vom Biedermeier trennt, sechzig, achtzig Jahre
einer technischen, sozialen, wirtschaftlichen, künstlerischen
Entwicklung, mußte eine durchgreifende Veränderung
des Lebensbildes herbeiführen. Schämen wir uns der
Gegenwart nicht. Während vor dem Hause das Auto=
mobil, das Fahrrad, die elektrischen Bahnen vorbei=
rasen, können wir im Innern des Hauses, wo wir
alle technischen Vorteile auszunutzen suchen, vom Tele=
phon bis zu den elektrischen Glühkörpern, nicht den
historischen Biedermeier spielen. Das hieße, da wir
uns eben altdeutsch gefühlt haben, eine Rolle mit der
anderen vertauschen. Wohl aber können wir Bieder=
meier im modernsten Sinne sein, indem wir uns treu
zu dem bekennen, was unserer Zeit gemäß ist, so wie
es unsere Großväter für ihre Zeit getan haben. Dann
wird sich von selbst ein gewisser verwandtschaftlicher
Zug mit den vergangenen Dingen der Heimat heraus=
stellen, wie denn überhaupt alles Echte, aus wirklichem
Bedürfnis Herausgeborene, trotz großer zeitlicher Treu=

nung verwandter ist, als man denkt. Denn immer
ist der Mensch das Maß der Dinge. Auch die Erzeugnisse alter Kultur wecken in unserem modernen
Gefühl ein Echo.

2. Der Raum.

Das Gegebene an der Mietwohnung ist der leere
Raum mit den ihn begrenzenden quadratischen Flächen der vier Wände, des Bodens und der Decke.
Die unerschöpfliche Aufgabe ist nun, diesen rechtwink-
ligen Raum mit Wohngerät anzufüllen und in zweck-
mäßiger und ästhetischer Form zu gliedern. Hier ist
alles auf Beweglichkeit gestellt. Es muß von vornherein damit gerechnet werden, daß das Hausgerät
leicht fortzuschaffen und in einem anderen Raum mit
mehr oder weniger quadratischer Grundfläche aufstell-
bar ist. Aber das ist kein Grund, daß ein solcher
Raum, der einigermaßen vom Nomadendasein bestimmt ist, einer ästhetisch befriedigenden Lösung ent-
behre. Für die Mietwohnung kommt das Einzelmöbel
in Betracht. Es hat die Aufgabe, nicht nur im höchsten Grade rationell zu sein, was Raumausmaß und
Zweckdienlichkeit betrifft; es soll von vornherein die
Bestimmung erfüllen, die ihm der Mietsraum auf-
erlegt. Dabei soll es gut gearbeitet sein, in Material-
behandlung und Farbengebung, Konstruktion usw. alle
Anforderungen des guten Geschmackes erfüllen. Kurz
gesagt, es soll schön sein, schön im besten Sinne, auch
ohne besonderen Schmuck, und obendrein: es soll billig
sein. Sehr viel auf einmal.

Ein zweiter Grundsatz tritt zu dem ersten und
kompliziert die Aufgabe. Dieses einzelne Möbel ist

keinesfalls ein „Ding an sich". Das einzelne Möbel
steht nicht allein im Wohnraum, wie etwa eine schöne
Plastik allein im Raum stehen soll. Das einzelne
Möbel hat immerhin noch eine Beziehung zu anderen
Möbeln auszudrücken. Trotzdem also das Möbel der
Mietwohnung ein in sich fertiges, vollkommenes Stück
ist, kommt für die Gestaltung des Wohnraumes das
Verhältnis der Möbelstücke zu einander dennoch sehr
in Betracht. Es wird davon abhängen, ob man den
Wohnraum als schön empfinden kann oder nicht. Das
Möbel an sich und die Möbel untereinander werden
hier noch eine genaue Untersuchung finden. Es gilt
nur von vornherein anzudeuten, daß die formale Lösung des Mietproblems von der Art abhängt, wie
die Wand und die Grundfläche vom Hausgerät gegliedert werden.

3. Die Wand.

Das leere Gehäuse der Mietwohnung, das wir
zur Raumgestaltung übernehmen, ist allerdings von
Haus aus gegliedert durch die Fenster und Türen.
Das Fenster und die Tür geben der Wand von vornherein ein Gepräge, das zur Auseinandersetzung zwingt.
Festzuhalten ist, daß die Wand eine Fläche von quadratischer Grundform darstellt. Die Wand selbst stellt
nichts als eine räumliche Abgrenzung dar, die als
solche noch keinen selbständigen Wert besitzt. Künst-
lerisches Leben empfängt sie erst durch die Gliederung
in übereinstimmende, harmonische Verhältnisse.

Wenn diese Erkenntnis allgemein wird, ist zu hoffen, daß die gröbsten Fehler, schon von Haus aus
durch die verfehlten Tür= und Fensteranlagen begau-

gen, vermieden werden. Niedere Türen, die das menſch=
liche Maß nur um ein geringes überragen, können in
den verhältnismäßig kleinen Mietwohnungen nur als
Vorzug gelten. Sie geſtatten zunächſt die Überein=
ſtimmung mit dem Höhenmaße einzelner für den Ge=
ſamteindruck entſcheidender Mobiliarſtücke, ſowie mit
der Bilderhöhe. Dagegen iſt mit einer von übermäßig
hohen und breiten Flügeltüren unterbrochenen Wand
nichts anzufangen. In den weitaus meiſten Fällen
werden wir es auch vorziehen, daß die Tür nicht die
Mitte der Wand durchbreche, ſondern ſeitlich gerückt
ſei, um eine möglichſt große Wandfläche frei zu
laſſen. Die Enfilade, eine Fluchtreihe großer Tür=
blicke, gehört dem Palaſt an; ſie iſt auf Mietwohnungs=
verhältniſſe übergegangen. Wir begegnen ihr nirgends,
wo die bürgerliche Kultur Tradition iſt, wie in Eng=
land und Holland, noch weniger natürlich im Bauern=
haus.

Es wird im allgemeinen zu wenig bemerkt, daß
die Wohnräume des Miethauſes hoch, viel zu hoch
bemeſſen ſind. Geſundheitspolizeiliche Rückſichten haben
zu ganz unmöglichen Verordnungen geführt. Es iſt
ein Irrtum, daß hohe Wohnräume geſünder ſind als
niedere, es kommt nur auf die Lüftungsmöglichkeit
an. Hohe Wohnräume ſind nach den übereinſtimmen=
den Erfahrungen ſchlechter zu lüften als niedere. Die
Lüftungsfrage ſteht mit dem Fenſter in Zuſammen=
hang. In hohen Wohnräumen können die Fenſter
niemals hoch genug hinaufreichen, um die an der Decke
ſtehende, verdorbene Luft abziehen zu laſſen. Dagegen
kann dies ganz leicht in niederbemeſſenen Räumen der
Fall ſein. Hohe Räume ſind geſundheitlich auch aus
dem anderen Grunde im Nachteil, weil ſie ſehr ſchlecht

zu erwärmen sind. Die Wärme steht immer im hohen Luftraum, und der Fußboden wird von der großen Abkühlungsfläche der Fenster her immer mit Kälte erfüllt. Während des Sommers ist es umgekehrt, es ist kein Schutz vor der eindringenden Hitze. Von den Gesundheitsfragen abgesehen, kommt das Fenster als Lichtquelle und als Wandgliederung in Betracht. In beiden Fällen ist das Ziel in einer großen, einfachen Flächenbildung zu sehen. Zwei Fenster zerreißen die Wand und stellen in der Regel eine sehr ungünstige Belichtung her. Die beiden Seitenwände empfangen nur grelles Streiflicht, und der Mittelpfeiler zwischen den beiden Fenstern legt einen Schattenkegel mitten ins Zimmer. Außerdem geht die Wand, von der nur mehr sehr wenig übrigbleibt, für eine zweckmäßige Durchbildung verloren. Diese Übelstände sind zum Teil schon klar erkannt. Sie führen dazu, daß man beide Fenster in der Mitte zusammenschiebt, sie zu einem einzigen breiten Fenster verbindet, das einen gleichmäßig angenehmen Lichteinfall gewährt und links und rechts breite Wandteile für die rationelle Anord= nung des Hausrates erübrigt. Also keine Palast= fenster und keine Palasttüren für die Mitwohnung, keine Supraporten oder schlechtes Schnitzwerk, sondern, wenn's nicht reicht, lieber einfaches, glattes Holzwerk, das nur den Zweck erfüllt und nicht stört. Ferner keine hohen Räume, die schlecht zu lüften und schlecht zu erwärmen sind. Im niederen Raum wächst der Mensch. Es muß natürlich auch hierin das Maß ge= funden werden.

4. Das Bild.

Für die Hängung der Bilder ist entscheidend, daß nicht die Wand die Hauptsache und das Bild der bloße hinzutretende Schmuck, sondern daß die Wand bloß Hintergrund und das Bild die Beseelung und Belebung der Fläche ist. Wer von diesem Grundsatz ausgeht, wird bei der Hängung seiner Bilder nicht leicht einen Mißgriff tun. Man wird die Wand als Hintergrund behandeln und sie daher so anspruchslos halten, als immerhin möglich. Die beliebten Tapeten= blumen können der Bildwirkung immer nur schädlich sein. Man wird seine Wände nur weißen lassen, was am schönsten ist, oder man wird sie in einfachen ruhigen Farben halten und sich auf die ruhige Ton= wirkung beschränken, die allerdings ein feines Farben= gefühl bedingt. Sparsam verteilt und in menschlich dimensionierter Höhe müssen die Bilder gehalten sein, denn sie sollen mit ihrem Inhalt deutlich zu dem Be= schauer sprechen. Wir werden trachten, die Bilder so an= zubringen, daß sie mit dem oberen Rahmenende in einer Horizontale liegen, sich also in gleicher Höhe befinden, wofür die obere Rahmenkante die Grenze bildet. Sind die Türen nicht allzu hoch, so kann man sie mit dieser oberen Kante in derselben Höhe anbringen. Man wird dadurch Ruhe und Einheit in den Raum bringen. Die auf S. 24 folgende Skizze veranschaulicht dieses Prinzip. Sämtliche größeren Bilder sowie der Spiegel sind in dem Biedermeier=Interieurentwurf von Dan= hauser in derselben Höhe wie die Tür angebracht, so daß die obere Kante der Tür und der Bilder in ein und derselben Horizontale liegen. Überdies ist auch

darauf Bedacht genommen, daß die Bilder sich zu=
gleich in der Vertikalachse ihres betreffenden Wand=
teiles befinden. Demzufolge haben kleinere Bilder, die
wegen ihres intimen Formates unterhalb der großen
Bilder zu hängen kommen, sich auf derselben Vertikal=
achse zu befinden, wie der Wandteil rechts vom Ofen
veranschaulicht. Alles ist auf Symmetrie gestellt. Dieses
Hängungsprinzip wird aus dem der Interieurskizze bei=
gegebenen Schema (S. 25) deutlich. Soll in einem Raum
mit seinen Bildern Harmonie herrschen, so muß nicht
nur auf Symmetrie, sondern auch auf ein gewisses Gleich=
gewichtsverhältnis Bedacht genommen werden, das
heißt es haben sich die Möbel in einem gewissen rhyth=
mischen Zusammenhang mit den Bildern zu befinden,
wofür das Gefühl entscheidet, ganz abgesehen davon,
daß der verschiedenartige Hausrat unabsehbare Mög=
lichkeiten einräumt. Eine Regel läßt sich dafür nicht
aufstellen. Für alle Fälle aber wird das an diesen
Skizzen erläuterte Prinzip von der Horizontal= und
Vertikalachse grundlegend sein und vor Verstößen be=
wahren.

Hier wäre es am Platze, ein Wort über den Rah=
men zu sagen. Der Rahmen hat die Bedeutung einer
Grenze, welche die Welt des Bildes von der Umgebung
abschließt. Er soll das Bild heben und daher selbst
einfach und anspruchslos sein. Um das Bild zu heben,
hat man außer Gold auch sonstige Farben versucht,
die gute Wirkung haben, wobei freilich als Grundsatz
zu beachten ist, daß es eine Farbe sei, die im Bilde
nicht vorkommt und die einen komplementären Gegen=
satz bildet. Der Form nach werden immer die ge=
raden Leisten am besten sein; vor den verzierten Rah=
men, den sogenannten „Kunsthändlerrahmen", ist durch=

2

aus zu warnen. Es wird häufig die Frage aufge=
worfen, ob man den weißen Rand an reproduzierten
Blättern stehen lassen soll. Bei Radierungen, die den
Plattenrand haben, ist der weiße Rand sicherlich von
großer Berechtigung, in allen Fällen aber ist er an
und für sich schon ein Rahmen. Man muß sich in
diesem Falle begnügen, einen ganz einfachen, schmalen
Holzrahmen herumzulegen, der ganz gut weiß sein
kann, ja, man braucht nur einen schmalen Streifen
Papier um den Glasplattenrand umzukleben, um des
vorteilhaftesten Aussehens gewiß zu sein.

5. Der Hausrat.

Die Frage ist nun, welche Möbel die durchschnitt=
liche Mietwohnung braucht und welchen Anforderun=
gen diese Möbelformen zu entsprechen haben. Der
Besteller soll sich Rechenschaft geben können über seine
persönlichen Bedürfnisse, wenn er darauf rechnet, einen
sachdienlichen, zweckentsprechenden Hausrat zu bekom=
men. Wir nehmen zunächst an, daß es sich um ein
Schlafzimmer handelt und um die notwendigen Schränke
für Wäsche und Kleider. Also zunächst um einen Klei=
derschrank, der, wenn er sehr viel zu fassen hat, aus
mehreren, zueinander passenden Teilen zusammengestellt
werden muß, damit er als Einzelmöbel eine nicht zu
ungeheuerliche Form bekommt. Wir müssen daran
denken, daß ein solcher Schrank viele Fächer zum
Legen und zum Hängen enthalten muß. In den oberen
Teilen ein Fach für weiche Hüte, unten ein Fach für
Schuhe, ein langes Hängefach für Hosen, ein Hänge=
fach für Röcke, eine Lade für Westen, herausziehbare

Fächer für Nachtwäsche, Unterwäsche und Hemden, ebensolche kleine Fächer für Socken und Taschentücher, mehrere kleine Laden für Bürsten, Kämme, Knöpfe, Nadeln, für Handschuhe, für Kragen, eine höhere Lade für Manschetten, womöglich ein Fach mit einem herauszziehbaren Spiegel, der aufzustellen ist, und wenn alle diese Notwendigkeiten ermittelt sind, ist zu erwägen, daß die Einteilung praktisch und handgerecht anzuordnen und in entsprechenden Ausmessungen zu halten ist, wobei man die Maße für die Höhe, Breite und Tiefe der einzelnen Fächer und Laden nach den Gegenständen bestimmt, die darin unterzubringen sind. Wir denken dabei, daß in der Mietwohnung der Raum beschränkt und die Dienerschaft gering ist, und daß jeder am besten sein eigener Diener ist. Deshalb müssen Einrichtungen vorgesehen werden, welche eine Unordnung nach Möglichkeit erschweren. Schließlich ist auch daran zu denken, daß ein solcher Schrank für einen einzelnen Menschen, für die Junggesellenwohnung oder für die Herrenwohnung vollständig genügen muß. Der Hauswäscheschrank ist nicht in erster Linie für Junggesellen- oder Männerbedürfnisse vorgesehen, sondern für die Bedürfnisse der Hausfrau. Sie will in regelmäßigen Abständen Fächer zum Einteilen der Wäsche darin sehen; sie will auch Fächer zum Hängen haben, um ihre schönen Kleider darin aufzubewahren. Sie braucht auch ein angemessenes, hohes, mittels einer Tür verschließbares Fach für ihre Hüte, mehrere seichte Laden für Schleier, Spitzen, Handschuhe, Seidentücher und einige schmale Laden für Schmuck, Nadeln und Ähnliches. Auch dieser Wäscheschrank und Kleiderschrank kann seines Umfanges wegen nur in mehreren Teilen kombiniert und nach Maßgabe des Bedarfes

2*

vergrößert und die Wände entlang beliebig fortgesetzt werden, sei es in Teilen zum Hängen, oder in Teilen mit Fächern zum Legen, oder in Teilen mit Laden, wobei zu beachten ist, daß in regelmäßiger Wiederkehr die hohen Schrankteile von niederen Teilen unterbrochen und in der Anordnung dieser Raumgrößen eine gewisse rhythmische Abwechslung geschaffen werden kann. Die Hausfrau denkt gewiß auch an einen Toilettespiegel, der möglichst tief herabreicht, um die ganze Figur zu zeigen, links und rechts eine Kasteneinteilung mit Laden enthält, die vorn oder seitlich herauszuziehen sind und sämtliche Toilettutensilien enthalten. Im Sockel des Spiegels, der gesimsartig vorspringt, mag man sich auch ein verschließbares Fach denken. Es ist gut, wenn Nachtkästchen und Bett in einer gewissen gleichen Höhe abschließen. Es ist überhaupt ein großer Vorzug, wenn darauf gesehen wird, daß die Höhe der Möbelstücke untereinander nicht allzu willkürlich variiert. Ein auf zwei bis drei Höhenmaße beschränkter Gleichklang innerhalb eines Raumes, und dieser Gleichklang in möglichst rhythmischer abwechselnder Wiederkehr, wird eine harmonische Wirkung ergeben.

Auch beim Speisezimmer hat man sich sehr genau Rechenschaft zu geben über die Menge und Art des Kleingerätes, der großen und kleinen Porzellan- und Glasservice, die wir in einem Büfett unterzubringen haben, über die Laden und Fächer für die Tischwäsche, für die Bestecke, für die Glasgarnituren, für die Kaffee- und Teeservice und wenn dies feststeht, werden wir erst die passende Einteilung des unteren Kastens und des Aufsatzes vornehmen und gerne darauf achten, daß namentlich in dem Aufsatzstück jedes einzelne Fach gerade hinreicht, je ein solches Service oder eine solche Garnitur von Gläsern aufzunehmen, wenn wir Wert darauf legen, daß jedes Ding an seinem Platze steht und nichts vermengt wird, was nicht zusammengehört. Wir werden auch darauf sehen, daß die Anrichte= und die Abstellplatte des Büfetts groß genug und hoch genug ist, um es beim Servieren möglichst bequem zu haben. Wir sehen, daß in allen diesen Fällen das Maß an dem Menschen und seinen Bedürfnissen zu nehmen ist, und daß wir auf diesem Wege bei fort= während Prüfung des Lebens zu einem organischen Typus kommen, der eine neue Form darstellt und in den meisten Fällen vollauf entsprechen wird. Beim Speisetisch ist zu beachten, daß auf jede Person min= destens 80 cm Breite zu rechnen ist, und daß er von vornherein auf eine Personenzahl anzulegen ist, die nicht niedriger als die Zahl der Grazien und nicht höher als die Zahl der Musen ist, also mindestens für drei und höchstens für neun Personen. Daß solche Tische ausziehbar sind, um auf die vorhandene Per= sonenzahl eingestellt zu werden, versteht sich von selbst.

Vor dem Speisezimmer ist an die Küche zu denken und zu beachten, daß hier nicht nur Geschirre, sondern auch Kochvorräte aufzubewahren sind. Hier braucht man einen Schrank mit entsprechenden Laden für den Handvorrat an Mehl, Zucker, Hülsenfrüchten, Reis und ähnlichen Nahrungsmitteln, kleine Laden für Ge= würzvorräte, Fächer mit Flaschen, Büchsen und son= stige Vorräte in Paketform, und zu unterst Fächer für ganz große Flaschen und Töpfe mit kulinarischen Vorräten. In dem Geschirrschrank will man das Eisengeschirr von dem Tongeschirr trennen und eigene Fächer für das Glas, für Porzellan und Steingut haben, Laden für Löffel, Küchenbestecke und schließlich auch ein Fach für die notwendige Küchenwäsche. Vom Küchentisch wird verlangt, daß er eine entsprechend große Platte aus hartem, scheuerbarem, ungestrichenem Holze trägt. Je nach den persönlichen Bedürfnissen werden diese Küchenanordnungen entweder sehr groß und umfangreich sein müssen, die Vorräte an Nahrungsmitteln und Geschirren in verschiedenen, nach diesen Gesichtspunkten zweckmäßig konstruierten Schränken aufbewahrt werden, oder aber, es wird bei kleinerem Bedarf nebst dem Tisch ein Schrank genügen, ja, es gibt amerikanische Küchenmöbel, raffiniert konstruiert, die alles in einem enthalten, Tisch, Geschirrschrank und Nahrungsmittelschrank. In den Mietwohnungen sind die Küchen übel daran, weil sie klein beschaffen sind wie alle Nutzräume, eine höchst verkehrte Einrichtung, die das Leben in solchen Wohnungen höchst unbequem macht. Dazu kommt die Unsitte, daß in der Regel das schönste und beste Zimmer in den beschränkten Mietwohnungen für die bloße Repräsentation vorgesehen wird. Man will einen Salon haben, das Überflüssigste der Welt. Man wohnt darin nicht, man benutzt ihn nicht, man zeigt ihn nur, wenn Besuch kommt. Die künstlerische Reform der letzten Jahre hat diesen Raum seiner Heiligkeit entkleidet und der verdienten Lächerlichkeit anheimgegeben. Seither hat sich der Salon wieder in das natürliche Wohnzimmer oder in das Arbeitszimmer, welches Herrenzimmer, Bibliothekzimmer und Rauchzimmer gewöhnlich in einem ist, verwandelt, und die beschränkte Wohnung ist wieder bis in den letzten Winkel mit Leben ausgefüllt. Die neuen Forderungen von Hygiene und Zweckmäßigkeit haben einen neuen Schönheitstypus

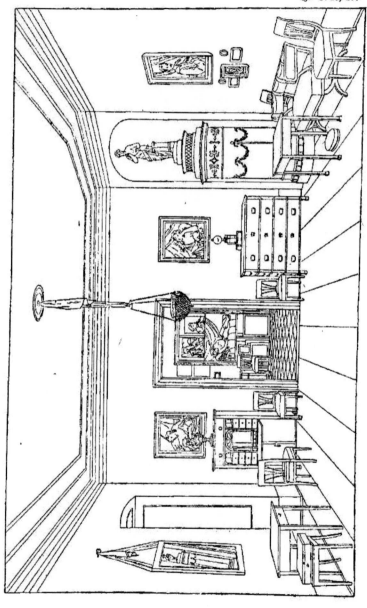

Zu S. 17.

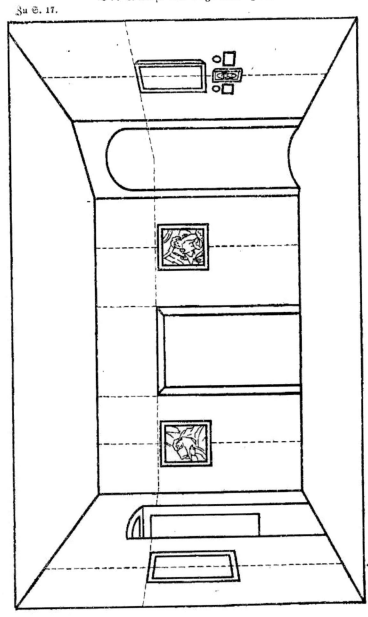

für das Mobiliar und für die Wohnräume ausgebildet und die Selbstverständlichkeit aufs neue erhärtet, daß man als Schlafzimmer das beste und gesündeste Zimmer wählt, entgegen der ziemlich volkstümlichen Meinung, daß dafür das schlechteste Zimmer genüge, weil ein Fremder nicht hineinsieht.

In dem Wohnzimmer wird man nach den örtlichen Verhältnissen entweder eine harmonisch verteilte Anzahl von Glasschränken oder Vitrinen finden, welche die Sammelgegenstände oder Kunstwerke, wenn solche vorhanden sind, enthalten. Oder man wird Schränke für Bücher und Mappen finden in ebenmäßigen, übereinstimmenden Größen- oder Höhenverhältnissen, oder man wird beides finden oder nichts davon, je nach der persönlichen Art und den Verhältnissen des Inwohners. Sicher wird man ein Sofa finden, einen passenden Tisch und Stühle, vielleicht einen Teetisch und ein Arbeitstischchen im Fenster. Vielleicht auch Blumentische, wahrscheinlich ein Klavier, und es kann alles sehr reizend sein, wenn die Formen einfach und gut sind, wie im vorigen entwickelt.

Schließlich ist zu bedenken, daß neben dem Wohnzimmer oder dem Musikzimmer ein Arbeitszimmer des Herrn vorzusehen ist, wenn der Bedarf vorhanden ist. Hier stehen Bücherschränke aus hohen und niederen Teilen im Nebeneinander und Übereinander aufgebaut, an den Wänden fortgesetzt, nicht zu hoch, um in die obersten Fächer bequem greifen zu können, mit Glastüren und einfacher Sprossenteilung darin, vielleicht auch die vorhin erwähnten Vitrinen, falls der Hausherr Sammler und Kunstliebhaber ist, Schränke für Mappen und Kunstblätter, Rauchrequisitenschrank und Likörschrank, Lederfauteuils und schließlich das impo-

santeste Stück des Herrenzimmers, der Schreibtisch.
„Wollen Sie einen Schreibtisch mit oder ohne Aufsatz, einen geraden oder einen halbkreisförmigen?"
würde der Händler fragen. „Nußholz oder Eichen-
holz, gebeizt oder poliert, lackiertes Weichholz oder
Mahagoni?" Zu erwidern ist, daß es bei einem guten
Schreibtisch zunächst gar nicht darauf ankommt, ob er
gerade oder halbkreisförmig gebaut, gebeizt oder poliert
ist. Viel wichtiger zu wissen ist, welche Ansprüche die
Art der Arbeit, die am Schreibtisch verrichtet wird, an
die Benutzbarkeit stellt. Der Schreibtisch einer Dame,
die gelegentlich ein Billett, der Schreibtisch eines Kauf-
manns, der Rechnungen schreibt, und der Schreibtisch
eines Diplomaten, sind von Natur aus wesentlich
verschieden. Was also zunächst entscheidet, ist die persönliche Beziehung des Schreibenden zum Schreibtisch,
nicht allein in bezug auf alles, was der Schreibtisch
aufzunehmen hat an Schriftstücken, Papieren, Büchern
und anderen Gegenständen, sondern auch in bezug auf
das menschliche Körpermaß, das für die Größen-
verhältnisse des Schreibtisches maßgebend ist. Der
Schreibtisch muß buchstäblich angemessen sein. Ich
werde also dem Handwerker, der den Schreibtisch aus-
zuführen hat, eine Zeichnung anfertigen, in der alles
bis aufs kleinste vorgesehen ist. Jene, die sich nicht
selbst helfen können, müssen einen Architekten bitten,
daß er Hebammendienste leiste, damit keine Mißgeburt
zutage komme. Bei der heutigen Lage der allgemeinen
Kultur ist der Künstler, ich meine hier den Architekten,
ganz unentbehrlich. Vielleicht wird er mit dem Fort-
schreiten der künstlerischen Bildung ganz überflüssig,
die jeden befähigen sollte, das häusliche Um und Auf
richtig zu gestalten, ein Ziel, aufs innigste zu wün-

schen. Beim Schreibtisch also werde ich das Größen=
maß in der Breite nach meinen seitlich wagrecht aus=
gestreckten Armen, von Fingerspitze zu Fingerspitze ge=
messen, in die Tiefe nach meinem wagrecht vorge=
streckten Arm, von der Fingerspitze bis in die Achsel=
höhle gemessen, nehmen, weil alles auf dem Schreib=
tisch im Handbereich liegen muß.

Ist er größer, so wirkt er unförmlich, ist er klei=
ner, so wirkt er unzulänglich. Die Höhe der Tisch=
platte wird nach den sitzenden und schreibenden Men=
schen genommen. Sodann erfolgt die Bestimmung
und Einteilung der erforderlichen Laden und Fächer
und deren Anordnung, alles nach Maßgabe des per=
sönlichen Bedürfnisses. Für den Aufsatz wird ent=
scheidend sein, ob und wie viel Papiersorten er auf=
zunehmen hat, ob er eine Reihe Handbücher zu tragen
hat und ob der Besitzer gern einige Blumen im Glas
oder in einer Vase auf demselben stehen hat. Ein
seitlich herausschiebbares Brett, das unter der Tisch=
platte eingelassen ist, wird als Aufwärter unter Um=
ständen gute Dienste leisten. Die wichtigsten Kon=
struktionselemente sind nunmehr vorhanden.

Es bedarf nur mehr eines guten Materials, guter,
solider Arbeit und es ist kein weiterer Schmuck oder
irgendeine andere Kunst nötig, um ein brauchbares
und schönes Möbel zu erhalten. Die Schränke und
Schreibtische sollen entweder bis auf den Boden rei=
chen und ohne Zwischenräume fest aufstehen, oder sie
sollen „fußfrei" sein, das heißt auf Beinen stehen, die
nicht unter 20 bis 25 cm hoch sind. Es ist das Merk=
mal eines schlechten Möbels, wenn es auf ganz kurzen
Beinen steht, so daß kein Besen unten durch kann, den
Staub hervorzukehren. Die unkontrollierbaren Schmutz=

winkel sind zu vermeiden. Entweder die Beine so hoch,
daß man bis zur Wand sehen kann, was obendrein
ein Zimmer geräumiger scheinen läßt, oder gar keine
Beine, weil sich unter einem massiv aufstehenden Möbel
keine Staubschicht bilden kann.

Zum Tisch gehört der Stuhl, also auch zum Schreib=
tisch. Sie bilden zusammen eine Einheit. Schreibtisch=
sessel werden meist mit Rücklehnen versehen, die nicht
höher reichen, als bis zur Schreibtischplatte, also unter
den Schulterblättern abschließen. Beim Speisetisch mag
das ganz recht sein, weil hohe Lehnen beim Servieren
hinderlich sind, aber beim Schreibtischsessel treten per=
sönliche Ansprüche wieder mehr in den Vordergrund.
Wer es liebt, sich von Zeit zu Zeit bequem zurück=
zulegen und dem Kopf eine Stütze zu geben, wird sich
ein Fauteuil bauen lassen müssen, wie sie unsere Vor=
fahren kannten. Aber man achte darauf, daß die
Rücklehnen gerade verlaufen, damit der hohe Stuhl
an die Wand gerückt werden kann, ohne sie zu be=
schädigen oder von ihr beschädigt zu werden. Die
Polsterung mag der Rückenlinie folgen.

Von aller Art Stühlen gilt das gleiche. Wo die
Rücklehne geschweift ist, greifen die Hinterbeine noch
weiter heraus, um an die Sesselleiste zu stoßen und
die Lehne von der Wand abzuhalten. Wenn man von
der Lehne rückwärts die Lotrechte fällt, so sollen die
Hinterbeine mit dem Fußende etwas über die Lot=
rechte hinausragen.

Die Elemente der Möbelformen sollten eigentlich
Gemeingut sein. Es ist erstaunlich, wie wenig die
Leute im allgemeinen von den Dingen verstehen, die
so notwendig zu ihrem alltäglichen Leben gehören, wie
die Wohnungseinrichtung. Daß sie möglichst effektvoll

ausſehe, iſt alles, was man von der ſchönen Wohnung
verlangt. Die Fachleute richten ſich nach des Beſtellers
Wünſchen und ſo verdirbt einer den anderen. In Schau-
läden, Ausſtellungen und Wohnräumen bietet ſich annähernd das gleiche Bild: ein größerer oder geringerer
Aufwand von gutem Material oder aber auch von echt-
ſcheinenden Surrogaten, glänzend und auf den äußeren
Schein berechnet, höchſte Modernität und reichliche
Putzmacherei; alles iſt ſehr wirkungsvoll und doch im-
grunde genommen ſchmählich. Seit einigen Jahren, da
ſich die Künſtler der Sache angenommen, iſt die Ver-
wirrung heillos. Ihre perſönliche Eigenart wurde
alsbald zur Mode, nachgeahmt und ſchrecklich verzerrt,
und dabei wurde das Wichtigſte, das ſie auszeichnet,
ihre Grundſätze einer organiſchen Konſtruktion, das
einzige, das Gemeingut werden ſollte, überſehen.

Stilmöbel aller Art kann man bei allen Gelegen-
heiten finden. Dem Beſteller gefällt es und der Her-
ſteller macht es, aber kein Menſch weiß, wozu und
warum.

Und doch iſt das Wichtigſte, zu wiſſen, wozu oder
warum etwas ſo oder ſo gemacht wird, wenn ein an-
ſtändiges Produkt zuſtande kommen ſoll. Die Tiſchler
müßten arbeiten und Maß nehmen wie der Schneider,
und die Beſteller müßten nachdenken und mithelfen,
das Rechte herauszufinden, auf das Notwendigſte bedacht und auf ſeine vollkommenſte Erfüllung wie bei
der Beſchaffung ihrer Kleider! Aber wie viele ſind, die
wirklich ſo tun?

Soweit das kleine Einmaleins der Möbelformen!

6. Vorzimmer und Dienerzimmer.

Der erste Schritt, den wir in eine Wohnung tun, belehrt uns gewöhnlich, wessen Geistes dieses Heim ist. Der Vorraum, den wir zuerst betreten, ist schon für alle anderen Räume bezeichnend. Die Persönlichkeit färbt überall ab. Ein Haus, dessen Neben- und Nutzräume nicht in Ordnung sind, wird auch nicht ein einziges Gemach besitzen, das volles Behagen gewährt. Umgekehrt wird sich ein ordnender und liebenswürdiger Hausgeist auch bis auf die äußerste Schwelle bemerkbar machen. Praktisch betrachtet, hat ein Vorzimmer zwei Aufgaben zu erfüllen. Es dient als Warteraum für den Besuch, der sich melden läßt, um nicht unvermittelt in die Gemächer zu treten. Der angemeldete Besuch benutzt den Augenblick, Hut und Überkleider abzulegen und mit einem prüfenden Blick in den Spiegel sich über die Ordnungsmäßigkeit seiner Toilette zu vergewissern. Demnach ergeben sich als unerläßliche Möbelstücke: eine Kleiderablage für Röcke, Hüte, Stöcke und Schirme, ein Wandspiegel, der gewöhnlich damit in Verbindung steht, einige Sitzgelegenheiten, am besten einfache Stühle und ein Tischchen mit Lade. Die Hausfrau erkennt eine weitere Aufgabe des Vorzimmers darin, daß sie es zur Aufnahme ihrer eigenen Kleiderschränke einrichtet. Denn bei den heutigen, beschränkten Raumverhältnissen in Mietshäusern und den neuen Raumgestaltungsprinzipien, sucht man derartige große Wandschränke aus den Wohnzimmern zu bannen und ins Vorzimmer zu verlegen. So mag man denn an allen Wänden gleichförmige Schränke finden, die aus einem

Stück, jedoch in viele Teile zerlegbar, bestehen können. Man wird aber gut tun, die ganze Wandhöhe bis zum Plafond schrankartig abzubauen und die oberen Fächer, die Separattüren über der Kopfhöhe haben, zur Aufnahme von allerlei Schachteln und sonstigen Effekten, wenig benutzten Kleidern usw. zu verwenden, denn in einem Haushalt werden leicht alle Fächer und Schränke zu eng, um zu beherbergen, was sich im Laufe der Zeit ansammelt. Es kann aber auch, um nicht eine Wand für die Kleiderablage mit Spiegelteil opfern zu müssen, eine solche Kleiderablage und der Spiegel vorn an einem oder mehreren der Schränke angebracht, der Spiegel in eine der Schranktüren eingelassen, die Kleiderhaken neben den Schranktüren befestigt und solcherart alle vier Wände mit Schränken abgebaut werden. Selbstverständlich wird man weiches Holz zu diesem Zweck verwenden und in einer Farbe, am besten Weiß, lackieren oder streichen. Als Bodenbelag findet man vielfach Matten, die mit einfachem Muster von Künstlern entworfen, die seit Jahren in den Handel gebracht werden und sich vortrefflich bewähren. Ein solcherart ausgestatteter Vorraum besitzt alle Vornehmheit und zugleich Anspruchslosigkeit, deren es bedarf, wenn er den Besucher auf die gastlichen Haupträume vorbereiten will. Unterordnung in den Hauptgedanken der Wohnungsausstattung ist hier Gesetz. Im Vorraum pflegt man gute Bilder und sonstige Kunstwerke nicht unterzubringen; schlechte soll man aus Geschmacksgründen noch weniger verwenden, weil der Raum keine Trödelkammer sein soll und in minderwertiger Ausstattung leicht eine geringschätzige Meinung von den Inwohnern erwecken kann. Aber es ist keineswegs Grundsatz, daß aus den Vorräumen Kunst-

3

werke, wie Bilder und Plastik, verbannt sein sollen, im
Gegenteil, wenn das Haus weitläufig genug ist und
das Vorzimmer, wie es heute geschieht, mehr den Charakter einer „hall" empfängt, fänden sie auch hier aus-
gezeichnet Platz und trügen von dem Geist und der Vorliebe der Bewohner freundliche Spuren über die Schwelle
der inneren Wohnräume hinaus und dem Besucher einladend entgegen. Wir mögen uns da nur einmal Goethes Beispiel vor Augen führen und uns sein Haus in
Weimar vorstellen, wie es anfangs des 19. Jahrhunderts ausgesehen hat. Ohne glänzend zu sein, war alles
höchst edel und einfach; auch deuteten verschiedene an
der Treppe stehende Abgüsse antiker Statuen auf
Goethes besondere Neigung zur bildenden Kunst und
zum griechischen Altertum. Der Vorraum in der
ersten Etage trug die Zeichen „Salve" als freundliches
Willkommen und einer der zwei Vorräume, wo man
zu warten genötigt war, war durch ein rotes Kanapee
und Stühle von gleicher Farbe überaus heiter mö-
bliert; zur Seite stand ein Flügel und an den Wänden sah man Handzeichnungen verschiedener Art und
Größe.

So bei Goethe. Freilich zwischen dem Alt-Wei-
marer Hause Sr. Exzellenz und einer modernen Stadtwohnung ist ein Unterschied.

Zu jenen Räumen, für die man im allgemeinen
auch das Schlechteste für gut genug hält, gehören die
Dienerzimmer. Es ist ein trauriges Zeichen schlechter
sozialer Begriffe und unzureichender menschlicher Ein-
sicht, wenn man in einem Hause die Dienstboten, denen
man doch Treue und Anhänglichkeit zum Gesetz macht,
schlecht versorgt findet. Im Dienstverhältnis gibt es
nach beiden Seiten hin Pflichten und Rechte, und kein

Teil, weder Dienstgeber noch Dienstnehmer, dürfte dem anderen etwas schuldig bleiben. Guter Geschmack heißt hier wie überall Reinlichkeit und Zweckdienlichkeit. Massiv eiserne Betten (Hohlräume sind häufig Aufenthalt schwer ausrottbaren Ungeziefers), einfache Möbel aus weichem Holz in irgendeiner Farbe gestrichen, Tisch, Stuhl, Schrank und Waschgelegenheit möblieren den Raum vollständig und können ihn zugleich recht wohnlich machen. Wenn für das persönliche Wohl der Dienstboten in mustergültiger Weise gesorgt wird, ist das immer eine Ehre für die Hausfrau.

7. Die Küche.

In seinem Lobliede an die Küche meint Gillet Corrozet (1534), daß es eine schöne Sache sei um ein geschmücktes Haus, um eine behagliche Stube, um den wohlbestellten Speicher und Keller, daß aber ein Haus trotzdem nichts Erquickliches böte, wenn man nicht auch eine gute Küche sehe, die gute Küche, wo die freundlichen Götter Diana, Ceres und Bacchus ihre gesegneten Gaben niederlegen, wo der freundliche, Zufriedenheit und Wohlbehagen spendende Hausgeist im Winkel am Herde thront und leibliche Stärkung und Mehrung der Daseinsfreude verheißungsvoll winken.

Der gute Corrozet ist ein praktischer Idealist; wer auf guten Tisch hält (und wer tut das nicht), muß vor allem auf gute Küche halten, und darum gibt Corrozet seinen Zeitgenossen eine umständliche, in zierliche Reime geflochtene Darstellung einer ganzen Kücheneinrichtung, in der er auch nicht die „Lichtschneuzen“ vergißt, und daraus man leicht ersehen kann, welche hervorragende

3*

Wichtigkeit die Küche im damaligen Haushalt besaß. Sie ist die Urquelle des Hauses, aus der die anderen Räume erst nach und nach hervorgegangen sind. Noch im 18. Jahrhundert vollzog sich auf den seigneuralen Gütern Frankreichs das Leben vorzugsweise in der Küche, während die übrigen Gemächer des Hauses als bloße Repräsentationsräume nur gelegentlich benutzt wurden.

Sicherlich ist die Küche der am frühesten und am vollkommensten ausgebildete Teil des Hauses gewesen. Über ihre Einrichtung läßt uns auch die „Nürnberger Haushälterin" nicht im Zweifel, die im Jahre 1716 über das deutsche Bürgerhaus schrieb: „Von einer wohlgebauten Küche wird vornehmlich gefordert, daß sie nicht allzu fern von der Eßstube entfernt sei, damit nicht im Winter das Essen, wenn es weit getragen werden muß, kalt auf den Tisch gebracht werde." Man darf sich hierbei wohl nicht eine Stadtwohnung mit gedrängten Räumen vorstellen, sondern ein weitläufiges altes Bürgerhaus, wo möglicherweise die Küche, wie in den heutigen Landhäusern und Villen, im Untergeschoß gelegen war. Daher die Mahnung der „Nürnberger Haushälterin", die zu ihrer Zeit die vortreffliche Einrichtung von Speiseaufzügen nicht gekannt haben dürfte.

So vollkommen auch die alten Küchen sind, sie sind dennoch kein Maßstab für die moderne Küche in unseren Mietwohnungen. Wir müssen das Leben, das heißt unsere Bedürfnisse, selbst befragen, um zu wissen, was unsere Küche braucht. Es ist nicht allzuviel. Einen Materialienschrank, einen Geschirrschrank, einen Küchentisch, einen Hackstock, einen Putzkasten und einige Hocker. Für einen kleinen Hausstand genügt auch

weniger, insofern Materialienschrank und Geschirr=
schrank eine Form zusammen bilden, der Putzkasten und
der Hackstock wegfallen, so daß sich in diesem Fall
nur etwa folgende Möbel ergeben: der gewöhnliche
Küchenschrank, der Küchentisch, ein Hocker oder eine
Bank und ein Bord zum Hängen und Stellen. Die
Formen dieser Gegenstände sollen Schlichtheit, Gerad=
heit der Linien und Flächigkeit als Ausdruck der
tischlermäßigen Arbeit zeigen. Die Schränke stehen
massiv auf, und wenn sie das nicht tun, dann sollen
sie „fußfrei" sein. Das letztere ist für die Küchen=
möbel entschieden vorzuziehen, weil kein unten ge=
schlossenes Möbel so dicht aufsteht, daß nicht das in
der Küche leicht verschüttete Wasser unterfließen kann
und Holzfäule erzeugt. Für die Einteilung der Schränke
in Laden und Fächer sind die Bedürfnisse der Haus=
wirtschaft maßgebend. Der Materialienschrank oder
Küchenschrank ist ganz ähnlich konstruiert wie der
Speiseschrank im Eßzimmer, weshalb das früher Ge=
sagte nicht wiederholt zu werden braucht. Für die
Einteilung ist jedoch zu sagen, daß je nach den An=
sprüchen der untere Körper mit Laden und Fächern
zur Aufnahme von Kochmaterialien eingerichtet sein
muß. Er bedarf zu unterst einer breiten Mehllade,
ferner Laden für feinen Reis, für Erbsen und Linsen,
für Gerste und Sago usw. Ferner ist im unteren Teil
neben der Mehllade ein Fach mit Tür nötig, ausreichend
groß für Schmalztopf, Essig= und Ölflaschen, darüber
eine Lade für Zucker und anderes. Der Aufsatz mit
seinen Fächern enthält in der unteren Hälfte sechs bis
sieben Laden verschiedener Größe für Vorräte an
Mandeln, Rosinen, Gewürz usw., ferner darüber oder
links und rechts daneben je ein Fach mit Glastür

für Flaschen, Büchsen oder sonstige Vorräte in Paket=
form. Über die Höhe der Schränke im Handbereich
ist das Nötige im Kapitel Hausrat bereits gesagt.
Der Geschirrschrank ist wie der Materialienschrank
1 m hoch, hat jedoch keinen Aufsatz. Er ist mit zwei
Türen, hinter denen sich zwei Fächer befinden, ver=
schlossen, oberhalb der zwei Türen befinden sich neben=
einander zwei Laden. In die großen Fächer gehört
das Ton= und Eisengeschirr und in das Fach oberhalb
desselben Porzellan und Steingut. Die Laden sind
zur Aufnahme von Löffeln und Küchenbestecken be=
stimmt. Man mag auch ein Bord mit verschließbaren
Fächern und Glastüren für Gläser und Porzellan an=
bringen. Wie gesagt, können Geschirrschrank und
Materialienschrank zu einem einzigen Küchenschrank
mit Aufsatz vereinigt werden, was für kleine Haus=
haltungen jedenfalls ausreicht. Küchentische und Hocker
bleiben ungestrichen und scheuerbar. Für die übrigen
Küchenmöbel verwende man sehr lichte Anstrichfarben,
am besten Weiß, wobei man die Kanten blau, grün
oder rot streichen kann. Der Putzkasten, wenn ein
solcher nötig ist, hat die Form des Hockers, ist jedoch
mit Laden versehen zur Aufnahme von Bürsten und
Putzzeug. Sonst kann man auch zu unterst an dem
Hocker eine Lade für diesen Zweck anbringen. Die
Form des Fleischstockes ist selbstverständlich und be=
darf keiner näheren Erklärung.

8. Der Eßtisch.

Es war eine geistreiche Dame, die bei einem Diner, das sie für eine große Gesellschaft veranstaltete, folgendermaßen verfuhr: Nach dem Grundsatze, den die Römer schon kannten, daß eine Tischgesellschaft nicht weniger als die Zahl der Grazien und nicht mehr als die Zahl der Musen betragen sollte, verteilte sie die zahlreichen Gäste an ebenso viele Tische als nötig waren, um überall die gewünschte Zahl herzustellen. Und sie stimmte jeden Tisch auf eine andere Farbe. Sie hatte sich mit den Damen ins Einvernehmen gesetzt, und sie mußten ihre Toilette der Farbe ihres Tisches anpassen. Selbst die Tischtücher mußten Farbe bekennen, und man sah die ganze Skala des Regenbogens vertreten, ja sogar ein schwarzes Tischtuch war vorhanden. Die Blumen wurden dementsprechend gewählt und verteilt. Die geistreiche Dame hatte von ihrer meisterhaften Anordnung eine außerordentliche Wirkung erwartet und die Wirkung war außerordentlich. Sie war nämlich außerordentlich geschmacklos. Sie war so geschmacklos, daß man wirklich sehr geistreich sein muß, um dergleichen einmal begehen zu dürfen. Sie hat es sicherlich nicht wieder getan. Die feine Lehre war daraus zu ziehen, daß für das Gedeck nur eine Farbe existiert, die den Glanz der Frische und Appetitlichkeit gewährt, das festliche Weiß, als der richtige Grundton, davon sich das Silber, Kristall, Porzellan und die freudigen Farben der Blumen schön und erquicklich abheben. Die ästhetische Befriedigung ist ein wesentlicher Bestandteil der Tafelfreuden. Nebst dem feinen, weißen Linnen, das manche Frauen, wie namentlich in früherer

Zeit, hüten wie Silber, ist es die Blume, die dem ge=
deckten Tisch den Adel künstlerischer Schönheit ver=
leiht. Wie bei allen Dingen, kommt es auch hierbei
nicht auf die Kostbarkeit oder Seltenheit der Blumen
an, sondern auf die Art, wie sie verwendet werden.
Gerade unsere einfachen heimischen Blumen, mit
schlichter Treuherzigkeit Bauernblumen genannt, kön=
nen, klug gebraucht, zu den feinsten Wirkungen ge=
bracht werden, und man erinnere sich nur daran, was
Lichtwark über den Löwenzahn als Tischblume sagt.
Der vielverachtete Löwenzahn, der den ganzen Tisch
auf Gelb stimmt, könnte eine unvergleichliche Tisch=
blume abgeben. Mit gelben Blumen näht die Haus=
frau gern ihren Tischläufer aus, und eine unbewußte
Anerkennung liegt darin, daß Gelb auf weißem Tisch=
zeug besonders schön steht. Aber gerade hier ist viel
Takt in der Anwendung erforderlich. Streublumen
sind sehr beliebt, aber sie sehen alsbald welk aus, ver=
ursachen häßliche Flecken und eine krause Unordnung
auf dem Tische, die ihr freundliches Aussehen von früher
bald ins Gegenteil verwandelt. Ein Künstler hatte
den glücklichen Einfall, die Schnittblumen in kleinen
würfelartigen Glasgefäßen, die in regelmäßigen Ab=
ständen eine Reihe in der Mitte des Tisches bildeten,
aufzustellen, und er hat damit das Rechte getroffen.
Heute bekommt man zu diesem Zwecke kleine Gefäße
mit dreieckiger Basis, die man in beliebiger Weise zu
Gruppen mit hoch= und kurzstengeligen Blumen ver=
einigen kann. Hohe Blumen= und Fruchtaufsätze, welche
die einander gegenübersitzenden Personen den Blicken
entziehen, haben sich als unzweckmäßig und geschmack=
los überlebt.

Die Reform des Tafelgedeckes beginnt schon bei

der Serviette. Sie hat heute noch eine Form, die
ihre Gebrauchsart längst überlebt hat. Kein Mensch
von Lebensart wird sie heute noch mit einem Zipfel
unter dem Kinn in den Kragen stecken. Man legt sie
heute einfach über den Schoß. Die zweckentsprechende
Form sollte demnach jene sein, die etwa das Hand-
tuch besitzt: ein längliches Rechteck. Daß die Serviette
weich und lind sei, wird zwar in der Theorie immer
verlangt, aber die Praxis kennt nur damastene Ser-
vietten, die anfangs bocksteif sind und nach längerem
Gebrauch abhaaren. Die Zeiten sind wirklich vor-
über, wo Linnen dem Silber gleichgestellt war.

Über das Glas wäre manches zu sagen. Gewöhnlich sitzt das Glas wie ein Blumenkelch auf hohem,
dünnem Stengel, was zwar anmutig anzusehen, aber
in sehr hohem Maße unpraktisch ist. Erstens wird
die Standfestigkeit gering, bei leiser Berührung fällt
das Glas um, und zweitens ist der Stengel beim
Reinigen allzu leicht abzudrehen. Aber auch dickes
Glas ist nicht zu empfehlen, weil nicht gut daraus zu
trinken ist. Zwischen Lippe und Flüssigkeit soll sich
so wenig Glaswand befinden als immerhin möglich.
Aus dieser Voraussetzung ergibt sich die organische
Form des Trinkglases von selbst; es müßte einen
starken, feststehenden, starkwandigen Fuß und Stengel
haben, und müßte gegen den Rand ganz dünn verlaufen, um als angenehmes Glas empfunden zu werden. Handsam soll das Glas sein und mundgerecht.

Dem Glase steht das Porzellan zunächst. Ich weiß,
daß die meisten Leute buntbemaltes Geschirr lieben.
Es macht zwar nicht viel aus, ob das Geschirr bemalt ist oder einfach weiß, nur ist zu bedenken, daß
die Bemalung häufig Schäden des Porzellans ver-

decken muß. Reliefartiger Dekor am Tellerrand ist im höchsten Grade unzweckmäßig, aber alles Unzweck= mäßige ist am häufigsten anzutreffen. Ganz weißes Geschirr ohne bunte Streifen ist sehr vornehm in der Wirkung, aber merkwürdigerweise selten im Gebrauche zu finden.

Und nun das Silber. Es ist ja heute noch der Stolz jedes wohlhabenden Hauses, der wohlgehütete Schatz, den man nur zu besonderen Festtagen oder zu Ehren eines Gastes zu verwenden wagt. Die Silber= löffel im Alltag zu gebrauchen, würde der Mehrzahl der Hausfrauen als Verschwendung erscheinen. Ich weiß wirklich nicht, aus welchem Grunde. Gerade für den Alltagsgebrauch ist echtes Edelmetall wie Silber allein zu verwenden, weil es widerstandsfähiger und sauberer zu halten ist als billiges Zeug, das oftmals erneuert werden muß, immer übel aussieht und zu guter Letzt viel höher zu stehen kommt als Silber. Der wahrhaft ökonomische Sinn wird sich immer nur des gediegenen Materials bedienen. Gewöhnlich aber ist für die Hausfrau das Silberzeug bloß Gegenstand des platonischen Genusses, ohne weiteren Daseinszweck, als „still im eigenen Glanz zu ruhen" und als Braut= geschenk gefühlsame Erinnerungen der Hausfrau zu bewahren. Den Kranz so frommer Tugenden aber wollen unsere ungeweihten Hände nicht zerreißen. Sprechen wir lieber von der Form, die das Silber= zeug erhalten hat. Die Liebe der Künstler hat sich ja dem Silber in besonderem Maße zugewendet, und gerade in den letzten Jahren ist viel an dem Tafel= besteck probiert worden. Bei der heutigen Art, Messer und Gabel leicht zu halten, hat das Besteck auch jene Leichtigkeit und Zierlichkeit erhalten, die man ihm wünschen mag. Jedermann hat sich schon über die Gabel geärgert, die absolut keine Sauce fassen will. Als aber Oberbaurat Otto Wagner sein Reformbesteck ausstellte, gab es dennoch eine kleine Erschütterung. Man ist die alte Form schon so gewöhnt, daß die wenigsten Menschen einsehen wollen, daß da noch etwas zu reformieren ist. Da gab aber eines Tages ein einarmiger General den Anstoß zu einer Revolution. Der wollte eine Gabel, mit der er nicht nur spießen, sondern auch schöpfen und nötigenfalls auch schneiden konnte. Die Gabel wurde angefertigt; sie besaß eine flache löffelartige Form mit drei kurzen Zinken, so daß man damit bequem spießen und zugleich Sauce fassen konnte.

Diese Gabel ist sicherlich der reformierteste Teil des Reformbesteckes. Sie dürfte allgemeine Annahme finden, denn auch von der hygienischen Seite her ist ihr Günstiges wegen ihrer leichten Reinbarkeit nachzusagen.

In den Ansprüchen, die wir in ästhetischer Hinsicht an den Eßtisch stellen, prägt sich ein guter Teil unserer Erziehung und unserer persönlichen Kultur aus. Die Mahlzeiten sind Feste des Leibes, die bei Homer, der von seinen Helden getreulich berichtet, wann sie die Hände zum leckerbereiteten Mahle erhoben, eine Art fröhlicher Gottesdienst werden. Der Adel der Form kommt später hinzu. Es genügt dem Kulturmenschen nicht, daß das Mahl lecker bereitet sei. Die schöne Form ist nicht zu entbehren. Sie ist das halbe Essen. Die ästhetische Förderung wird geradezu zur körperlichen. Eine gewisse absolute Schönheit des Eßtisches hat sich herausgebildet, die sich mit Einfachheit wohl verträgt. Eine Sehnsucht

nach Schönheit geht durch unser Zeitalter. Wenn
nichts fruchtet, will man wenigstens „in Schönheit
sterben". Das ist gewiß sehr edel, aber anmutreicher
ist: „in Schönheit leben". Und dazu gehört: „in
Schönheit essen."

---

9. Das Speisezimmer.

Vor Jahren sah es freilich noch anders aus, wie
es in den meisten Wohnungen heute noch aussieht.
Altdeutsch war es, oder was man darunter versteht.
Der Plüschdekorationsdiwan trug die ach so bekannten Dekorationsteller. Die altdeutsche Kredenz war
geschnitzt, zwar sehr roh und albern, aber im großen
und ganzen trug das Möbel eine Fassade wie ein
italienischer Palazzo. Säulen waren an jedem Tür-
chen, aber sie hatten nichts zu stützen. Sie waren an-
geklebt und bewegten sich mit der Tür auf und zu.
Ich erzähle das nur, um auf den Widersinn einer
solchen Ornamentik, die man an jedem derartigen
Möbel finden kann, gebührend aufmerksam zu machen.
Die anderen Einrichtungsstücke paßten dazu — insofern waren sie wirklich „stilgerecht". Der massive
Speisetisch hatte unten eine kreuzweise Verspreizung,
so daß man nie recht wußte, wie man die eigenen
Beine unter dem Tische unterbringen sollte. Es war
zu wenig Platz, und sie auf die Verspreizung zu stellen, litt die Hausfrau nicht. Die üblichen Speise-
zimmersessel standen herum, mit Sitzflächen aus Holz,
das figurale Ornamente eingepreßt trug, so daß man
sich nicht niedersetzen konnte, ohne sich einer schönen
Maske mitten ins Gesicht zu setzen. Natürlich war

auch ein Pfeilerspiegel da mit Trumeau, dunkle Vorhänge, um alles in allem die beziehungsreiche, wurst-
rot- und sauerkrautfarbene Gesamtstimmung zu erzeugen, die während einer Generation in Speisezim-
mern so beliebt war.

Schlägt man die Tageszeitungen auf, so findet
man spaltenlange Annoncen, darin solche Interieurs
angepriesen werden. Man mag daraus ersehen, daß
sie noch immer ein Publikum finden, das diese Mühe
und Kosten verlohnt.

Beim Stuhl begann die Revolution. Man ver-
langte, daß er Bequemlichkeit gewähre, und bestimmte
die Sitzhöhe nach dem körperlichen Maß. Eigentlich
hat man das auch in Goethes Zeiten getan und vielleicht schon zu Moses' Zeiten, aber man hat es seit
der Zeit, da man fremde Stile kopierte, vergessen.
Die Querleisten zwischen den Beinen wurden als lästig
empfunden und blieben weg. Dann kam die Lehne
in Betracht. Hierbei ist die Atmung zu berücksichtigen.
Geht die Lehne im Bogen, so muß sie unter den Schul-
tern abschließen, sonst verursacht sie Atembeklemmun-
gen. Geht sie höher, so schließe sie besser gerade ab.
Doch soll sie möglichst niedrig sein, sonst bildet sie ein
Hindernis beim Servieren. Von der Stuhlform hängt
der Tisch ab. Die richtige Höhe ist bei Speisetischen
sehr wichtig. Ausziehtische sind natürlich bevorzugt,
wenn sie auf guten Rollen laufen. Die Zarge darf
nicht so weit herabreichen, daß sie das Knie des Sitzenden beengt. Die Querstangen sind absolut zu vermeiden. Man hat neuestens den Tischfuß mit gehäm-
mertem Messing umkleidet, darauf man unbekümmert
die Füße stellen kann. Büfett, Teetisch, Serviertisch
ergänzen das Mobiliar. Das Ornament besteht höch-

stens in eingelegten Linien, im flachen Dekor. Glatte
polierte Formen, die anmutige Reflexlichter erzeugen,
den Glanz des Silberzeugs, die Weiße des Porzellans
widerspiegeln, sind durchaus beliebt. Die Tafelauf=
sätze sind niedrig, einfach und zweckvoll. Den Haupt=
schmuck bilden die Blumen auf der Tafel und am
Fenster. Dort hängen keine Stoffgardinen mehr, die
Rembrandtstimmung ist dahin, alles ist auf Licht und
Luft und Farbe gestimmt, auf helle, freundliche Far=
ben. Durchsichtige Gardinen, seitlich aufzuziehen, hän=
gen in geraden Falten herab. Die Wände sind natür=
lich auch hell, keine Tapeten, keine Dessinierung. Perl=
grau zum Beispiel. Das Möbelwerk gebeizt oder
lackiert. Mahagoni ist schön und teuer; rotgebeiztes Holz
tut es jedoch auch. Stühle und Tisch in diesem Ton,
dagegen die Büfetts, die Kaminverkleidung, der Blu=
menständer usw. weiß lackiert. Das gibt einen schönen
Akkord. Unter Kaminverkleidung verstehe ich die Um=
hüllung des Gaskamins, mit Fächern zur Aufnahme
zu allerlei Kleinkunst. Für den Bodenbelag findet
man heute schon gutes und billiges Zeug in geeig=
neten Farben, entweder einfarbig oder gestreift oder
sonst mit einem ruhigen Linienornament. Wo elek=
trisches Licht ist, hat man den Vorzug einer gleich=
mäßig verteilten Deckenbeleuchtung. Auch bei den
Beleuchtungskörpern lasse man es nur auf reine Zweck=
lichkeit ankommen und verschmähe allen ornamentalen
und figuralen Kram, der immer wieder angepriesen
wird. Erst wenn man von jedem Ornament ab=
sieht, wird man zu ruhigen, einheitlichen Wirkungen
und zu einer stillen und vornehmen Schönheit ge=
langen. Wenn man einmal so weit sein wird, die
Farbe zu würdigen, die ungebrochenen einfachen Far=

ben, nicht die schmutzig aussehenden, dann wird
man im Raum auch leichter glückliche Ergebnisse
erzielen.

_____

10. Der Salon.

Der Hausfrau, der stets die Sorge um ein standes=
gemäßes Heim am Herzen liegt, steht dieser Frage
häufig ratlos gegenüber. Bei den anderen Räumen
gibt es keine erheblichen Schwierigkeiten; deren Ein=
richtung ergab sich notgedrungen, aus dem Bedürfnisse
heraus. Aber beim Salon — das ist etwas anderes.
Hier spricht das Bedürfnis nicht so laut; man wohnt
nicht darin; man hat ihn gewöhnlich nicht für sich,
sondern für die anderen. Also um darin zu reprä=
sentieren. Es gehört zu den Herkömmlichkeiten, daß
selbst jede kleinere Wohnung ihren „Salon" hat. Dazu
wählt man fast immer das größte und beste Zimmer,
die anderen Räume werden ins Hintertreffen gerückt,
mag es auch noch so selbstverständlich sein, daß die
Gemächer, die unserem persönlichen Dasein dienen,
weitaus wichtiger sind. Im Salon kann man zeigen,
daß man auch „wer" ist, und das erklärt alles. Also
wendet sich die ratlose Hausfrau an ihr Hausblätt=
chen, von dem sie gewöhnlich auch die Kochrezepte be=
zieht: „Bitte, wie richte ich meinen Salon ein?" und
erhält sogleich probaten Rat in der herkömmlichen
Fassung: „Man nimmt ein paar Stühle verschiedener
Form und Größe, mit beliebigem Seidenstoff gepol=
stert, kleine Tischchen, ein Sofa, Fauteuils usw. . . ."
Die Durchschnittssalons der bürgerlichen Wohnungen
schmecken alle nach diesem Rezept. Der Möbelhändler
liefert den bric-à-brac, den billigen Tand, die Gips=

statuen und all den Kram, der für wenig Geld viel
Geschrei machen soll.

Dieselbe Öde und Langeweile, den Mangel jeder
persönlichen Regung findet man von Haus zu Haus.
Was auch die praktischen Ratgeber und Möbelhändler
sagen mögen, so richtet man einen Salon nicht
ein. Wozu haben wir überhaupt einen Salon? Welche
Aufgabe soll er im Organismus unseres Hauses
erfüllen? So viel steht fest: in der Form, in der
wir ihn meistens finden, bildet er einen toten Raum.
Sollte der Salon nicht derart zu gestalten sein, daß
er auch von dem Leben erfüllt werde, das die anderen
Räume beherrscht? daß er nicht nur einer unzuläng=
lichen Repräsentanz diene, sondern wirklich der Be=
deutung entspreche, die man ihm auf Kosten der Be=
quemlichkeit in der bürgerlichen Wohnung einräumt?
Die Sache ist der Untersuchung wert.

Schon das Fremdwort „Salon“ besagt, daß wir
es mit einem Raum zu tun haben, der aus einer
fremden Kultur stammt. Die italienische Renaissance
lebt in dem Wort. „Salone“, „großer Saal“, so hieß
der große Empfangsraum im italienischen Palazzo.
Was wir heute unter dieser Bezeichnung in unseren
Durchschnittswohnungen finden, ist freilich eine Farce
auf den ursprünglichen Geist eines solchen Raumes.
Soll der Salon für unsere Verhältnisse wieder Sinn
und Zweck bekommen, dann müssen wir ihn seines
anscheinend repräsentativen Charakters, der für die
große Mehrzahl ohnehin bedeutungslos ist, entkleiden
und ihm das Gepräge eines persönlich intimen Raumes
geben. Nach einer gesunden Auffassung von der Sache
hat aber der gewöhnliche Salon die Aufgabe, alle
Dinge aufzunehmen, welche die Persönlichkeit, deren

Neigungen und Ideale charakterisieren. Jegliches Ding darin müßte von der Persönlichkeit etwas auszusagen haben. Für die gebildete Hausfrau oder den gebildeten Hausherrn wird der Salon recht eigentlich Bibliothek oder Arbeitszimmer sein, wo die Lieblingsbücher stehen und die Studien gepflegt werden, wo an den Wänden in geeigneten, zum Auswechseln eingerichteten Rahmen die Kunstblätter hängen, die Sammlungen aufgestellt sind und aus allen Dingen die geistigen Wesenszüge der Bewohner sprechen. Hier, wo man von allen Gegenständen seiner Neigungen umgeben ist, wird man am angenehmsten plaudern, und die Langeweile, dieser tödliche Feind aller Lebensfreude, wird solchen Räumen sicherlich fernbleiben. Die Unterhaltung, die von diesen Gegenständen her Nahrung empfängt, wird leicht und fesselnd sein, weil sich solcherart die Eigenart der Bewohner auf unauffällige und sympathische Weise offenbart, und eine anziehende Neuheit darin besitzt, daß sie sich nicht um die Schwächen des abwesenden lieben Nächsten zu drehen braucht.

Wo diese Auffassung Platz greift, stellen sich die neuen Grundsätze für die zweckmäßige Einrichtung ungerufen ein. Die gute Hausfrau, die bereits gemerkt hat, um was es sich handelt, weiß nun mit einem Male, was sie für ihren Salon braucht. Sie wird Wände und Plafond in einfachen ruhigen Farben halten, vielleicht einfarbig, bloß mit einem herumlaufenden Fries, oder sie wird, wenn sie Stofftapeten haben will, zu einem modernen Muster greifen. In Stofftapeten ist auch mehr Farbenfreude und Lebhaftigkeit der Zeichnung statthaft. Sie wird die Möbel so einfach, aber auch so gediegen herstellen lassen als

4

möglich, vielleicht aus Mahagoni oder rotgebeiztem
Holz, mit dem sich auch weiße Lackmöbel gut verbin=
den lassen. Die Möglichkeiten sind nicht auszudenken,
der gute Geschmack wird mit allen Mitteln das rich=
tige treffen. Die Anordnung der Möbel wird selbst=
verständlich von der bisherigen Aufstellung sehr ver=
schieden sein müssen. Man wird in einem solchen in=
timen Raum Wert darauf legen, eine gemütliche Plau=
derecke zu besitzen, ein cozy-corner, das eine Ecke des
Zimmers füllt, eine halbkreisförmige gepolsterte Sitz=
gelegenheit enthält, und ein Tischchen davor, wo man
behaglich sitzen kann, den ganzen Raum beherrscht und
sich dennoch abgeschlossen und geborgen fühlt. Das
Fenster, das bei der Art unserer Zimmer leider so
wenig Raum an der Wandseite läßt, wird einfach zur
unteren Hälfte verkleidet, wenn es sich nicht anders
tun läßt. Von diesem Platze aus ergibt sich die ge=
schmackvolle Aufstellung der anderen Möbelstücke, die
immer nur nach Maßgabe des persönlichen Bedürf=
nisses vorhanden sein werden, ganz leicht.

Man glaube indessen nicht, daß die Sache so
neu ist, daß man es nicht wagen dürfe, sie aufzu=
nehmen. Bei den Künstlern gehört es zur Über=
lieferung, die ganz selbstverständlich ist, daß sie ihre
Gäste im Arbeitsraum, also in der Werkstatt, im
Atelier, empfangen. Das Atelier ist zugleich ihr
Salon. Darum unterhält man sich bei den Künstlern
am besten, weil man von ihrem geistigen Wesen ganz
umgeben ist, von allen Dingen, die ihre Individualität
sichtbar machen. Auf diese Art kann es jedermann
halten. Nicht jeder ist Künstler, wird man sagen.
Aber jeder Gebildete hat geistige Interessen irgend=
welcher Art oder treibt einen geistigen Sport, musi=

ziert, sammelt, liest. Oder sollte ich allzu optimistisch
sein? Man gebe einem Salon das Gepräge eines
geistigen Sammelpunktes. Wer aber in den neuen,
oben dargestellten Grundsätzen eine Festigung durch
das Beispiel der altehrwürdigen Tradition braucht, der
lese die folgende Schilderung des idealen Zimmers,
das sich Adalbert Stifter einrichten wollte, den man
in dieser Hinsicht ganz gut als einen Vorläufer der
Modernen betrachten kann.

„Zwei alte Wünsche meines Herzens stehen auf.
Ich möchte eine Wohnung von zwei großen Zimmern
haben, mit wohlgebohnten Fußböden, auf denen kein
Stäubchen liegt; sanft grüne oder perlgraue Wände,
daran neue Geräte, edel massiv, antik einfach, scharf=
kantig und glänzend; seidene graue Fenstervorhänge,
wie matt geschliffenes Glas, in kleine Falten gespannt,
und von seitwärts gegen die Mitte zu ziehen. In
dem einen der Zimmer wären ungeheure Fenster, um
Lichtmassen hereinzulassen, und mit obigen Vorhängen
für trauliche Nachmittagsdämmerung. Rings im Halb=
kreise stände eine Blumenwildnis, und mitten darin
säße ich mit meiner Staffelei und versuchte endlich
jene Farben zu erhaschen, die mir eben im Gemüte
schweben und nachts durch meine Träume dämmern
— ach, jene Wunder, die in Wüsten prangen, über
Ozeane schweben und den Gottesdienst der Alpen
feiern helfen. An den Wänden hinge ein oder der
andere Ruisdael oder ein Claude, ein sanfter Guido
und Kindergeschichten von Murillo. In dieses Paphos
und Eldorado ginge ich dann nie anders, als nur mit
der unschuldigsten, glänzendsten Seele, um zu malen
oder mir sonst dichterische Feste zu geben. Ständen
noch etwa zwischen dunkelblätterigen Tropengewächsen

4*

ein paar weiße ruhige Marmorbilder alter Zeit, dann
wäre freilich des Vergnügens letztes Ziel und Ende
erreicht."

---

11. Junggesellenheim oder Herrenzimmer.

Das Studium alter Kulturen hat uns gelehrt, daß,
je erhabener die Kunst, desto größer die Einfachheit
war. Wenn wir wollen, daß die Kunst ihren Aus=
gangspunkt in dem Hause nehme, dann müssen wir
aus unseren Häusern alle überflüssigen und störenden
Gegenstände fortnehmen, den sogenannten Luxus, den
Komfort, der in Wirklichkeit gar kein Komfort ist,
weil er nur unnötige Plage macht und für nichts gut
und nützlich ist. Der wirklichen Gebrauchsgegenstände
sind verhältnismäßig wenige. Wenden wir uns ein=
mal an die kleinste Wohnung, die von einer allein=
stehenden Person bewohnt wird, an das sogenannte
Junggesellenheim, so finden wir in der Regel ein
einziges Zimmer, in dem geschlafen und gearbeitet
wird, wobei eine Arbeit vorausgesetzt ist, die nicht
viel Unordnung verursacht. Wir finden darin einen
Bücherschrank, der eine Menge Bücher enthält, ein
Bett, das mit weißen weichen Leinenvorhängen, die
mit Aufnäharbeit versehen, abnehmbar und waschbar
sind, verschlossen ist, und bei Tag, wenn die Vorhänge,
die in metallenen Ringen laufen, zurückgezogen sind,
als Diwan benutzt werden kann. Das Nachtkästchen,
wie ein einfaches Schränkchen gebaut, dient bei Tag
als Bücherablage, als Ständer für Vasen und Rauch=
zeug. Dann ein Tisch, der sicher steht, um daran zu
schreiben oder zu arbeiten. Mehrere Stühle, die sich
leicht von einem Ort an den anderen bringen lassen,

ein Kleiderschrank mit Schubkästen für Wäsche und derlei, und solche Bilder und Stiche, als es die Mittel erlauben, ja keine Lückenbüßer, sondern wirkliche Kunstwerke, die heute unschwer für wenig Geld zu haben sind; auch eine oder zwei Vasen gehören hierher, um Blumen hineinzutun, namentlich wenn man in einer Stadt lebt. Ein Ofen gehört natürlich ins Zimmer, aber man zieht einen kleinen Gaskamin vor, der, artig von einem Holzgehäuse umgeben, an seinem Bord allerlei Gegenstände der Kleinkunst aufzunehmen geeignet ist.

Weiter ist nichts nötig, besonders wenn der Fußboden gut ist. Wenn dies nicht der Fall ist, so würde ein kleiner Teppich, der in zwei Minuten zur Reinigung aus dem Zimmer geschafft werden kann, gute Dienste leisten; doch müßte dafür gesorgt sein, daß er schön ist, sonst würde er schrecklich stören.

Das ist rein alles, was wir in unserem Junggesellenheim brauchen, wenn wir nicht musikalisch sind und ein Klavier haben müssen (in bezug auf dessen Schönheit wir übel dran sind), und wir können nur sehr wenig zu diesen notwendigen Dingen hinzufügen, wenn wir nicht sowohl beim Arbeiten wie beim Nachdenken und Ausruhen gestört sein wollen. Wenn diese Dinge für die geringsten Kosten, für die sie gut und dauerhaft ausgeführt werden können, hergestellt würden, so würden sie nicht viel Auslagen verursachen, und es sind so wenig Gegenstände, daß die, welche die Mittel haben, sie überhaupt anzuschaffen, sich auch bemühen könnten, sie gut ausgeführt und schön anzuschaffen, und alle die, welche für Kunst Interesse haben, sollten sich sehr bemühen, dies zu tun und dafür sorgen, daß keine Scheinkunst sie umgibt, nichts, dessen Herstellung oder

Verkauf einen Menschen herabgewürdigt hat. „Und ich bin fest überzeugt, daß, wenn alle, denen die Kunst am Herzen liegt, sich dieser Mühe unterzögen, dies einen großen Eindruck auf das Publikum machen würde." Mit diesen Worten entwirft der englische Kunstgewerbler und Dichter William Morris, der als Apostel der neuen und eigentlich uralten Glaubenssätze allerortens eine sich täglich mehrende Gemeinde hat, einen solchen einfachen Raum und sagt weiter: „Diese Einfachheit können Sie andrerseits so kostbar herstellen wie Sie wollen oder können; Sie können Ihre Wände mit gewirkten Tapeten behängen, statt sie zu weißen oder mit Papiertapeten zu bekleben; oder Sie können sie mit Mosaikarbeiten verdecken, oder auch durch einen großen Maler Freskomalerei darauf anbringen lassen — all dies ist nicht Luxus, wenn es um der Schönheit willen und nicht zum Zwecke der Schaustellung geschieht." Das kann man der Liebhaberei des Bestellers überlassen. Im allgemeinen wird auch hier die größte Einfachheit das Zweckdienlichste sein. Es gibt allerdings Leute, die sich ein prächtiges Studio einrichten und darin allen erdenklichen Luxus anhäufen, um sich Stimmung zur Arbeit zu machen. Sicher ist aber, daß in solchen Studios kaum jemals ernstlich studiert wird. Wer ernst arbeitet, weiß, daß man im Arbeitszimmer nicht Zerstreuung braucht, sondern Sammlung. Und dazu kann die größte Einfachheit am besten dienen. Man kann auf das Beispiel Goethes hinweisen, das sich in diesem Zusammenhang einstellt. Den meisten Besuchern Weimars einst und jetzt dürfte die Schlichtheit seines Arbeitszimmers aufgefallen sein, und man hört oft Äußerungen der Verwunderung darüber, daß einem so großen Geiste die Dürftigkeit des Raumes genügen mochte. Dr. W. Bode spricht sich in seinem Buche: „Goethes Lebenskunst" darüber aus: „Wir sind nicht wenig erstaunt, wenn wir das Häuschen (das Garten= haus) betreten, das sieben Jahre hindurch dem Busen= freunde des Landesherrn, dem weithin berühmten Dich= ter des ‚Werther' und ‚Götz', das einzige Heim war. So bescheiden hätten wir es uns doch nicht vorgestellt. Unten ist gar kein bewohnbares Zimmer, höchstens kann man einen Raum, an dessen Wände Pläne von Rom hängen, im Sommer wegen seiner Kühle schätzen; oben sind drei Stuben und ein Kabinettchen, alle klein und niedrig, mit bescheidenen Fensterchen und schlich= ten Möbeln; zuerst ein Empfangszimmer mit harten steifen Stühlen, dann das Arbeitszimmer mit kleinem Schreibtisch, daran schließend ein Bücherzimmer und zuletzt das Schlafzimmer, in dem noch die Bettstelle steht, die zusammengeklappt und so als Koffer auf die Reise mitgenommen wurde . . .

So ist das Gartenhaus eingerichtet. Aber auch vom Stadthause hat man keinen anderen Eindruck. Nichts deutet auf einen vornehmen reichen Besitzer. Die Studierstube, in der er seine unsterblichen Werke schuf, würde heute nur wenigen genügen, die sich zum Mittelstande rechnen; für ‚standesgemäß' würde sie niemand halten. Alles darin ist zur Arbeit bestimmt, zum Lesen, Schreiben oder Experimentieren; kein Sofa, kein bequemer Stuhl, keine Gardinen, sondern nur einfache dunkle Rouleaux. Auch an den Büchern ist keine Pracht, seine gesammelten Werke sind auf das schlichteste eingebunden, er nahm ja auch seine be= rühmtesten Dramen oder Gedichte jahrzehntelang nicht wieder in die Hand. Nur ein Möbel hatte Goethe

in dieser Stube, das wir nicht kennen — ein kleines
Korbgestell, das sein Taschentuch aufnahm. Und auf dem
Tische lag ein Lederkissen, auf das er die Arme legte,
wenn er dem gegenübersitzenden Schreiber diktierte..."

Zu Eckermann äußerte Goethe einmal: „Prächtige
Gebäude und Zimmer sind für Fürsten und Reiche.
Wenn man darin lebt, fühlt man sich beruhigt, man
ist zufrieden und will weiter nichts. Meiner Natur
ist es ganz zuwider. Ich bin in einer prächtigen
Wohnung, wie ich sie in Karlsbad gehabt, sogleich
untätig und faul. Geringe Wohnung dagegen, wie
dieses schlechte Zimmer, worin wir sind, ein wenig
unordentlich ordentlich, ein wenig zigeunerhaft, ist für
mich das rechte; es läßt meiner Natur volle Freiheit,
tätig zu sein und aus mir selber zu schaffen." Und
ein andermal sagte der Achtzigjährige: „Sie sehen in
meinem Zimmer kein Sofa, ich sitze immer in meinem
alten hölzernen Stuhl und habe erst seit einigen Wo=
chen eine Art von Lehne für den Kopf anbringen
lassen. Eine Umgebung von bequem anspruchsvollen
Möbeln hebt mein Denken auf und versetzt mich in
einen passiven Zustand." Einen Schmuck besaß die
einfache Studierstube freilich, den höchsten und herr=
lichsten zugleich, der alle Dürftigkeit überstrahlte: Goe=
thes Geist, der in diesem Raume schuf.

Ein Zusammenhang zwischen Junggesellenwohnung
und Herrenzimmer ist durch den Umstand gegeben, daß
auch das letztere Wohn= und Arbeitsraum oder auch
Salon des Hausherrn ist, wie der Name „Herren=
zimmer" überdies schon sagt. Es kommt im Haus=
wesen dort vor, wo die Hausfrau entweder ihren
„Damensalon" oder ihr „Boudoir" hat, oder wo man
aus Ökonomie auf den Salon überhaupt verzichtet

und das eine zu erübrigende Gesellschaftszimmer vorzugsweise auf die Bedürfnisse des Hausherrn hin zurechtmacht. Massive, dunkel gebeizte oder polierte Möbel mit einfachen blanken Beschlägen finden sich darin, ein großer Bücherschrank, ein entsprechender Arbeits- oder Schreibtisch, große gepolsterte Sitzmöbel mit grauem oder braunem Lederüberzug, alles ernst und einfach und von der gewissen Vornehmheit, die in der Gediegenheit überhaupt liegt. Ist der Hausherr Waffensammler, so findet sich ein Waffenschrank vor, überhaupt Möbel, die seinen besonderen Liebhabereien oder Berufszwecken dienen. In einfachen Rahmen hängen Bilder oder Stiche, auch einmal eine kühne Modernität, „Le Nu au Salon", warum nicht? Ein Tropfen Pikanterie vermengt sich mit dem Duft schwerer Zigarren. So findet man es häufig. Aber das dominierende, ehrfurchteinflößende Möbel ist der große Schreibtisch. An ihn werden heute die persönlichsten Anforderungen gestellt, nicht weniger als an den guten Sessel. Hier hat eine gute Tradition mitgearbeitet. Aus dem Anfang des 19. Jahrhunderts sind große, sorgfältig erdachte Schreibtische überliefert, große Diplomatenschreibtische mit verschließbarem Pultdeckel, einfach geistreich kombiniert, dem amerikanischen roll desk nicht unähnlich, ferner eine Unzahl verschiedenartiger Damensekretäre mit zahlreichen Fächern und durchaus verschließbar, als ein glänzendes Zeichen einer geistig ungeheuer regsamen Zeit. Man schrieb fleißig Tagebücher, unterhielt mit allen Zeitgenossen regen brieflichen Verkehr. Auch der Schreibtisch von damals bildet gewissermaßen ein menschliches Dokument. Was so ein verwittertes Möbel nicht für Geheimnisse umschließt, und was so einem Kasten für an-

mutige Rätsel abzulesen sind, diesen Laden, die einst
vollgestopft waren mit Gedichten, Liebesbriefen, Pro-
zessen und Romanzen, schweren Locken und anderen
Liebeszeichen, gleich einem Riesensarg, der mehr Tote
enthielt als mancher ·Gräberhain. Sentimentalitäten,
nun wohl. Aber ein Persönlichkeitszug ging durch
die Dinge des Hausrats, das will festgestellt sein.
Und einen Persönlichkeitszug will man den Dingen
heute wieder geben. Der Schreibtisch sollte seinem
Besitzer angemessen sein wie ein Kleid. Konstruktiv
besitzt der amerikanische, verschließbare Schreibtisch
viele Vorteile, für das Privatzimmer ist er aber allzu
bureaumäßig. Im Halbkreis geht die Tischplatte um
den Sitzenden, auch die äußersten Enden in den Bereich seiner Hände rückend. Van de Veldes Schreibtisch, der diese Form aufwies, war eine Sensation.

Mit dem Schreibtisch geht es uns wie mit dem
Sessel. Wer einen passenden Schreibtisch sucht, findet
ihn nicht. Er muß eben mit seinem Architekten oder
Tischler beraten, um zu finden, was für seine Person
das Beste ist. Es ist der einzige Weg, der zum Rech-
ten führt. Der Konsument müßte in allen Dingen,
die seine persönlichen Bedürfnisse angehen, Mitarbeiter des Künstlers sein, was aber wohl voraussetzt,
daß er ein wohlunterrichteter, einsichtsvoller Mensch
sei. Im schlimmsten Falle müssen Bureauutensilien
herhalten. Ebenso ergeht es einem mit den Rauch-
requisiten. Ein weites Feld steht für den Künstler der
Kleinplastik offen, wenn erst der Publikumsgeschmack
höher entwickelt sein wird. Einstweilen sind es nur
einige moderne Künstler, die sich ihrer erziehlichen
und kulturellen Aufgabe voll bewußt sind.

———

12. Das Musikzimmer.

Der Zufall spielt mir die Reproduktion eines Bildes von Schwind in die Hände. Schubert-Abend ist es betitelt. Eine Stimmung strömt aus dem Blatt, zart wie der Duft verwelkter Rosen; ein Hauch der legendären liebenswürdigen Wiener Geselligkeit weht durch den Raum. Es ist ein Altwiener Bürgersalon, großväterischer Hausrat steht umher, Gastlichkeit und Gemütlichkeit, der genius loci schaut aus allen Winkeln hervor, ein Klavier steht in die Mitte des Zimmers herein, eines jener spinettartigen Instrumente, zierlich und schlank, um den spielenden Künstler gruppiert sich ein Kreis von Kunstsinnigen, die Schwestern Fröhlich, auch Grillparzer, dann der gefeierte Opernsänger Vogel und alles, was damals zur geistigen Elite gehörte. Damals war noch die Glanzzeit der Hausmusik. Die vielen Duos, Trios, Quartette und Quintette, von den berühmten Tonkünstlern jener Zeit zu diesem Zwecke verfaßt, und die Zusammenstellung der Instrumente sind an und für sich ein sprechender Beweis für den eifrigen Betrieb der Hausmusik. Bach und Händel waren in jedem Hause gekannt und geliebt. Finden wir heute noch gute Hausmusik? Die Frage dürfte nicht ohne weiteres zu bejahen sein. Zwar findet sich in jeder Wohnung ein Klavier vor, fingerübende Musikbeflissene bilden mehr denn je die Verzweiflung nervöser Nachbarn, aber die Pflege der Hausmusik ist heutzutage seltener geworden. Man geht lieber in den Konzertsaal, der in früheren Zeiten nicht so viel des Abwechslungsreichen und Interessanten bot als die Neu-

zeit, die jeden Tag eine beliebige Anzahl mufikalifcher
Berühmtheiten auf das Podium stellt. Da kann man
auch Toiletten zeigen und sehen und selber gesehen
werden. Bei den meisten weiß man kaum, was sie
antreibt, die Mufik. oder das andere. Die biedere,
ehrsame Hausmufik kommt in Verfall. Daran ift
aber in Wahrheit nicht so sehr der Konzertsaal
schuld, als vielmehr der Verfall des Hauswesens
selbst. Die freundlichen Genien der Gemütlichkeit
und Gaftlichkeit, die man vor fünfzig Jahren bei viel
geringeren Lebensansprüchen noch unter jedem Dache
finden konnte, sind aus den Städten, Großstädten
zumal, meift entschwunden. Und in der Provinz?
Die verzehrt sich in Sehnsucht nach der gleißenden
Pracht der Großstadt, der sie ihre besten Kräfte ab-
gibt. Kalt und ungaftlich ist es fast an so manchem
Herde geworden. Hier bringen auch die besten Ton-
werke keine Harmonien hervor. Irgendein Gassenhauer,
wild und gehackt, eine beliebte Nummer aus dem
Varieté, deckt in der Regel das Bedürfnis nach mufi-
kalifchen Genüssen. Bachs gravitätifche Gavotten, ein
liebliches Adagio Mozarts, eine Sonate Beethovens
sind im Hause der Disharmonien bloßer Lärm. Verständnis und Pflege guter Mufik sind ebensosehr Sache
des gebildeten Geschmacks, wie gute Manieren und
vorteilhafte gesellschaftliche Haltung; also Teil der
persönlichen Kultur, die auch in der häuslichen Umgebung und in allen Dingen, die im Bereich der
Persönlichkeit liegen, zum Ausdruck kommt. Man sollte
glauben, daß ein feines Gefühl für die Äfthetik der
Farben und der Formen von vornherein die Bedingungen zum Verständnis edler Mufik darbieten müßte.
In einem Hauswesen, wo die edle Farbe herrscht und

die edle Linie, und der Sinn, der aus dem Zweck=
mäßigkeitsprinzip des Alltags die Schönheit abzuleiten
weiß, wird man in der Regel auch gute Musik an=
treffen. Denn ein gemeinsamer, künstlerischer Grund=
zug führt von der sichtbaren Harmonie auf die hör=
bare. Eine nach vernünftigen, modernen Grundsätzen
eingerichtete Stadtwohnung braucht aus bloß ästhe=
tischen Grundsätzen durchaus kein eigenes Musikzim=
mer zu besitzen, abgesehen davon, daß Raum und
Mittel hierfür selten bereitstehen. Es wird mit den
äußeren Merkmalen unserer mit edlem Geschmack ein=
gerichteten Wohnung nicht im Widerspruch stehen,
wenn wir im Speisezimmer oder in dem Raume, den
wir gewöhnlich Salon nennen, den unsterblichen Wer=
ken der höheren Tonkunst lauschen und in einem dieser
Zimmer das Klavier und den Notenschrank aufstellen.
Aber da sind wir schon in arger Verlegenheit. Das
Klavier in seiner heutigen, ungeheuerlichen Form paßt
zu den schlanken, raumsparenden Möbeln noch viel
weniger, als es zu den altdeutschen oder sonstigen
„stilgerechten" Einrichtungen gepaßt hat. Es verstellt
in den verhältnismäßig kleinen Wohnzimmern den
besten Raum, steht breit und sperrig da und zerstört
jede irgendwie versuchte harmonische und zweckvolle
Gliederung des Gemaches. Es ist überhaupt ein
Möbel, das zwar, wenn seine Seele ausklingt, der
mächtigsten, erschütterndsten und himmlischsten Wir=
kungen fähig ist, in seiner äußerlichen Erscheinung aber
ein wahres Ungetüm genannt werden muß, das wegen
seiner höchst unpraktischen Form am allerwenigsten als
eigentliches Hausinstrument gedacht zu sein scheint. In
den Zeiten, da Schubert am Klavier saß, hatte dieses
Instrument eine Form, die mit dem übrigen bürger=

lichen Hausrat im Einklang stand. Es hatte eine
schmächtige, zierliche, fast elegante Form und fiel nir=
gends plump aus dem Rahmen der gesamten Woh=
nungskunst, wie es das heutige tut. Es wuchs sich
dann selbständig und unabhängig aus und gewann
solcherart seine umfangreiche, wenig ansprechende Form.
Die Klavierfabrikanten haben schon ein wenig Lust ge=
zeigt, sich mit ihren Klavierformen der neuen Be=
wegung, die im Hause so durchgreifende Verände=
rungen herbeigeführt hat, anzuschließen und darüber
nachzudenken, ob man nicht durch eine veränderte
Konstruktion zu gefälligeren, zierlicheren Gehäusen ge=
langen könnte. Vor dem Koloß eines Klavieres heu=
tiger Konstruktion steht auch der genialste Entwurfs=
künstler in Verlegenheit da, er weiß nichts anzufangen.
Baut er ein Gehäuse, das der einfachen strengen Linien=
führung des heutigen Möbels entspricht, so sieht es
womöglich noch sperriger und ungeheuerlicher aus.
Der schottische Künstler Mackintosh hatte einem Kunst=
freunde ein Musikzimmer eingerichtet und es mit allen
Finessen einer raffinierten Künstlerschaft ausgestattet.
Als dekoratives Motiv dieses ganz in Weiß gehal=
tenen Raumes war eine symbolische Darstellung „der
sieben Prinzessinnen" aus Maeterlincks mystischem
Märchenspiel verwendet. In einem wundersamen
Linienklang kehrt dieses Motiv an allen Teilen wie=
der als Paneele, als Verkröpfung an den Holzteilen,
am Kamin, an den hohen Stühlen, am Fenster, am
Klavier, alles ist Musik, sichtbare Musik in dem eigen=
artigen Raum, der in mattem Elfenbeinweiß erstrahlt,
darin hier und dort farbige Stücke eingesetzt sind, die
in ihrer dekorativen Linienfassung wie seltsame Mär=
chenaugen aussehen und in dem toten, starren Mate=

rial ein geheimnisvolles Leben erwecken, als ob drau=
ßen der leibhaftige Prinz stünde und mit bangen, sehn=
süchtigen Blicken durch die Scheiben ins Gemach sähe,
wo wie bleiche, schöne Schatten die Prinzessinnen schla=
fen, wie der Wohllaut, der in den Saiten schläft,
angstvoll gehütet, daß kein Mißton von draußen ihr
zartes Leben mordet.

Wenn ein Künstler sein Bestes getan hat, ist es nicht
seine Schuld, daß das Klavier trotzdem unverhältnis=
mäßig hoch und breit und störrisch dasteht. Klaviere
sind einmal so. Man müßte, um die wohltemperierte
Klavierform zu finden, sich einmal an George Lo=
gan in Greenock (Schottland) wenden, von dem aus
der Turiner Ausstellung 1902 ein Musikzimmer be=
kannt ist, das uns der Künstler zwar nur als Aqua=
rellbild zeigen konnte. Aber es genügt, um den Traum
eines Künstlers kennen zu lernen. Eine heitere, kind=
lich fröhliche Mozartstimmung herrscht in dem Raum,
über den Teppich schreitet man wie auf einer blumigen
Au, an den weißgetäfelten Wänden stehen in hohen
Vasen Blütenzweige, die einen Frühling ins Gemach
zaubern, und man mag es glauben, daß hier die Töne
hell und lustig fliegen, wie muntere Spielbälle. Zwei
sitzen am Klavier, wahre Blumenerscheinungen, und
das Klavier aus Ebenholz, mit sparsam verteilten,
hellen Einlagen, ist von ganz idealer Erscheinung.
Zart und einfach gebaut, fügt es sich harmonisch in
den Raum ein. Hier stört kein Mißton, auch kein
sichtbarer. Ist es auch nur ein Künstlertraum, so
mag, da er greifbare Formen gefunden, die Möglich=
keit nicht fern sein, daß er ganz reale Wirklichkeit
werde, wofern die Klavierfabrikanten nur wollen. In
bürgerlichen Wohnungen wird man sich mit einem

Pianino begnügen müssen, das bereits ganz moderne
Formen, ohne jeden Stilschnörkel, aufweist.

Wenn man aber Lust und Mittel hat, ein eigenes
Musikzimmer einzurichten, dann versage man sich jed=
wede ornamentale Ausstattung, denn sie bedarf, wenn
die Sache nicht plump und aufdringlich werden soll,
eines höchst delikaten, künstlerischen Geschmackes, der
nicht gerade allzu häufig ist. Man vermeide also
jeden Zierat, dulde selbst keine Musikerbüsten oder
Porträts, denn sie tragen zur musikalischen Stim=
mung nichts bei, sie stören viel eher. Man bringe
lieber eine harmonische Wirkung durch die kunstreiche
Anwendung von Form und Farbe hervor, und wirke
dadurch im Äußeren musikalisch. Auch hierbei wird
sich zeigen, daß in der Beschränkung die Meisterschaft
liegt. Man halte den Musiksalon bloß in ganz ein=
fachem, edlem, elfenbeinartigem Weiß, ohne jedweden
Dekor, und stelle nichts hinein, als ein schwarzpolier=
tes Piano, ein schwarzpoliertes Notenschränkchen, so=
wie einige Blütenzweige in Vasen; man denke sich in
diesem Raum eine schöne Stimme, ein paar kunst=
reiche Hände, die starke, goldene Töne erklingen las=
sen, und man wird in diesem Raum, von keinem
fremden Eindruck abgelenkt, wahre Feste in Moll feiern.

---

13. Plastik im Zimmer.

Eine edle Plastik im Zimmer zu haben, ist immer
eine Angelegenheit kunstfroher Geister. Die Porträt=
plastik kommt im Hause zur hervorragenden Geltung,
ebenso wie die nach dem Leben gearbeitete Medaille.
„Bloß zu beider Art Monumenten kann ich meine
Stimme geben," sagt Goethe. „Was hat uns nicht

das fünfzehnte, sechzehnte und siebzehnte Jahrhundert
für köstliche Denkmale dieser Art überliefert, und wie
manches Schätzenswerte auch das achtzehnte! Im
neunzehnten werden sich gewiß die Künstler vermehren,
welche etwas Vorzügliches leisten, wenn die Liebhaber
das Geld, das ohnehin ausgegeben wird, würdig an-
zuwenden wissen. — Leider tritt noch ein anderer Fall
ein. Man denkt an ein Denkmal gewöhnlich erst nach
dem Tode einer geliebten Person, dann erst, wenn
ihre Gestalt vorübergegangen und ihr Schatten nicht
mehr zu haschen ist. Nicht weniger haben selbst wohl-
habende, ja reiche Personen Bedenken, hundert bis
zweihundert Dukaten an eine Marmorbüste zu wenden, das doch das Unschätzbarste ist, was sie ihrer
Nachkommenschaft überliefern können. Mehr weiß ich
nicht hinzuzufügen, es müßte denn die Betrachtung
sein, daß ein solches Denkmal überdies noch trans-
portabel bleibt und zur edelsten Zierde der Wohnung
gereicht, anstatt daß alle architektonischen Monumente
an den Grund und Boden gefesselt, vom Wetter, vom
Mutwillen, vom neuen Besitzer zerstört und, solange
sie stehen, durch das An- und Einkritzeln der Namen
geschändet werden."

Fünfzig Jahre später lebte noch ein Abglanz dieses
überragenden Geistes. Die Großelternzeit lebte in Goethe.
Vom idealen Zimmer Adalbert Stifters wurde schon
erzählt. Ein Fernrohr durfte nicht fehlen, denn das
ist die Art der Dichter, daß sie immer wie durch Fern-
rohre sehen. In die Zukunft hinein. Da ist die Rede
von weißen, ruhigen Marmorbildern alter Zeit, die
den Gipfel seiner Wünsche bilden.

Die Kunstwanderungen erschlossen die Wohnungen, die den Kunstsinn der letzten zwanzig bis dreißig

5

Jahre offenbarten. Die Sache war lehrreich genug.
Von wirklich edler Plastik war wenig zu sehen.
Kaum hier und da eine Porträtplastik. Dagegen hatte
die Galvanoplastik einen breiten Raum. Man denke
Michel Angelos „Moses" in einer elektro-chemischen
Wiedergabe, natürlich gegen das Original gemessen
aufs winzigste verkleinert, einem Tafelaufsatze nicht
unähnlich. Gipsstatuen, mit Goldbronze belegt, stan=
den umher. Jeder Sinn für Echtheit war verleugnet.
Es war die Art, wie man in der Zeit des Parvenü=
und Protzentums die Kunst verstand und pflegte. Der
ganze Götterhimmel, der den Bildungsbezirk des Groß=
bürgertums umstand, hatte eine Wendung ins Operet=
tenhafte gemacht. Soweit Offenbachs „Schöne Helena"
von der Iliade entfernt ist, soweit entfernt sich der
Kunstverstand des Mrs. Jourdains Anno 1870 von
der Erkenntnis Michel=Angelesker Größe. Heute ist
das Kunstgewissen weiterer Kreise wieder empfäng=
licher geworden. Man lächelt über die Geschmack=
losigkeiten unserer jüngsten Vergangenheit. Man sagt
sich wieder, das plastische Kunstwerk muß sich in den
Raum einordnen, soll an bedeutsamer Stelle stehen,
einen Augenruhepunkt bilden und dem prüfenden Blick
standhalten können. Nachbildungen von räumlich größe=
ren Kunstwerken sind durchaus verwerflich. Größere
plastische Werke haben im Wohnraum nicht Platz, sie
fallen aus dem Rahmen, sie stören die Harmonie emp=
findlich, wenn sie mit der räumlichen Umgebung nicht
im Einklang stehen.

Die Kleinplastik nahm in den letzten Jahren einen
großen Aufschwung durch die modernen Porzellan=
fabriken und durch die keramischen Werkstätten, so=
weit sie künstlerisch geleitet sind. Sie liefert den pla=

ſtiſchen Schmuck unſerer Wohnung, wofern es nicht
auch eine gute Porträtplaſtik ſein kann. Aber was
die Baſare an kleinplaſtiſchem Schmuck liefern, iſt
ſelten von künſtleriſchem Wert, meiſt nur ſüßliche, all=
gefällige Publikumsware. Dagegen liefern die Kopen=
hagener Porzellanfabriken, die Nymphenburger und die
Meißner hervorragende Werke der Kleinplaſtik, ebenſo
die Wiener keramiſche Werkſtätte (Wiener Werkſtätte).
Irgendein einzelner Gegenſtand ohne Kunſtwert, in
irgendeinem Laden gekauft, koſtet meiſtens ebenſoviel,
wie ein kleines Kunſtwerk dieſer Herkunft. Die Seg=
nungen einer ſolchen Kunſtfreude würden nicht lange
ausbleiben und ihr erſter Erfolg wäre der, daß Leute,
die nicht in der Lage ſind, ſolche Kunſtſachen zu be=
ſitzen, den häßlichen Plunder der Baſare, der fälſchlich
für Wohnungsſchmuck ausgegeben wird, lieber nicht
aufſtellen, und wenigſtens durch dieſe Enthaltſamkeit
die erfreulichen Zeichen eines geſunden Geſchmackes
geben, anſtatt durch lächerliche Surrogate das pein=
liche Gefühl wachzurufen, daß das Gewollte doch ganz
anders ſein müßte.

14. Schlafzimmer und Bad.

Was für die Vorfahren das Schlafzimmer bedeu=
tete, davon können wir uns nach den heutigen Woh=
nungszuſtänden keinen Begriff machen. Das Schlaf=
zimmer galt ſo ziemlich als der Hauptraum des Hauſes.
Es ſah aus wie ein Thronſaal. Das mächtige Bett,
zu dem ſeitlich Stufen emporführten, und das bal=
dachinartig überwölbt war, ſtand mit dem Kopfende
an der Wand, mitten im Raum. Im Zeitalter der
Gotik und der Renaiſſance gab die Kunſt ihren Segen

5*

dazu, wundervolle Schnitzereien finden sich selbst an
den Betten bürgerlicher Häuser vor. Im 17. Jahr=
hundert vollzieht sich ein guter Teil des gesellschaft=
lichen Lebens im Schlafzimmer. Es ist Toiletten=
zimmer, Wohnraum, Empfangsraum, Speisezimmer,
sogar Küche, wenigstens für die leichteren Speisen.
Die Französin hatte ihr Paradebett, sie empfing den
großen Besuch im Bette liegend, oder sich ankleidend.
Der Barockstil hat darum auch keine anderen Möbel
ausgebildet, als das Himmelbett, den Schreibtisch, der
nach unten zu Wäscheschrank ist und oben als Glas=
schrank Tee= und Kaffeeservice enthält, das Sofa und
die gepolsterten Stühle, und das alles in Formen, die
für unser heutiges wahres Sein unverwendbar ge=
worden sind. Sie gehören der Historie an. Zur Zeit
des Empire, um 1800, glich das Schlafzimmer einem
Tempel. Die Antike hatte es allen angetan. Man wollte
frei sein von der Überlieferung und geriet unversehens
in die ärgste Sklaverei. Das Schlafzimmer sollte nicht
mehr wie ein Schlafzimmer aussehen. Menschliche
Notwendigkeiten galten als durchaus unästhetisch. Es
war die Zeit der Götterpose. Das Bett fand häufig
in einem Alkoven Platz, dessen Front einen griechi=
schen Tempelfries trug, oder es war reich und kunst=
voll drapiert. Sinnreiche Symbole deuteten an, daß
hier Aphroditens geweihte Stätte sei. Das Nacht=
kästchen erhielt die Form eines Opferstockes. Der
Waschtisch war als Altar der Reinigung gleichfalls
als Opferstätte charakterisiert. Der praktisch bürger=
liche Sinn der Biedermeierzeit vertrug diesen ästhe=
tischen Ballast nicht. Er reduzierte die Formen auf
das konstruktiv Notwendige, schuf sie nach den leib=
lichen Bedürfnissen um und erzeugte jene behagliche

Gemütlichkeit, um die wir unsere Großeltern heute beneiden. Könige sind damals Bürger geworden, sie entflohen der Ungemütlichkeit der Schlösser und dem Druck der Repräsentation, um sich in der „Eremitage" wieder menschlich zu fühlen. Heute möchte der kleine Bürger wie ein König leben. Die Schlösser hat er gesehen, und nun will er es auch so haben. Der Möbelspekulant ist der große Hexenmeister, der alle Illusionen geben kann. Alle Stilarten liefert er, die Gotik, die Renaissance, Barock, Rokoko, Empire. Nicht um das Sein handelt es sich, sondern um den Schein. Die Möbel sind auch danach. Die Nutzräume treten zurück, und das Schlafzimmer ist die letzte, erbärmlichste Kammer. Die kleine Wohnung erlaubt es eben nicht anders! Und überhaupt! Ins Schlafzimmer kommt ohnehin niemand hinein!

Glücklicherweise gewinnt eine gesündere Auffassung wieder Raum. Man fühlt sich wieder, die Persönlichkeit wächst. Man hat persönliche Bedürfnisse. Das Schlafzimmer braucht kein Thronsaal zu sein, auch kein Tempel. Aber luftig soll es sein. Wir sind alle Fanatiker der Hygiene geworden. Mit Luft, Licht, Sauberkeit und Einfachheit bestreiten wir unsere Interieursstimmungen. Und siehe da, es wirkt ganz vorzüglich. Was dem Körper zugute kommt, gibt auch der Seele Nahrung. Wenn wir auch zum guten Glück auf das Ornament verzichtet haben, so gibt es für den künstlerischen Geschmack doch noch sehr viel zu tun. Vielleicht mehr als früher. Denn das Einfache, das ist doch das Allerkomplizierteste. Die Anordnung der Massen, die Gliederung des Raumes, die Behandlung der Farbe, die zweckdienlich=formale Erfüllung der Bedürfnisse, das sind Dinge, in denen

sich das Persönliche klar ausspricht. Ist Harmonie
in der Persönlichkeit, dann wird sie auch im Raum
sein. Und, das ist das allerwichtigste, der einzelne,
der angefangen hat nachzudenken, muß mit seinem
Tischler, mit seinem Architekten arbeiten, wenn er das
Seine haben will.

Auf Licht und Luft also kommt es an. Man wird
sich daher helle Farben wünschen, die Wände ganz
licht, die Betten und Schränke in hellgelbem Kirschen-
holz, oder weiß lackiert, oder in unverhüllter Natur-
farbe, wobei man die Flächen durch Einsetzen anders-
farbiger Holzstücke beleben kann. Das heißt, wenn
man am Ende nicht ein Messingbett vorziehen sollte.
Daß man auch die Biedermeierform mit der Kuvert-
decke auf sehr hübsche Art neu beleben kann, zeigt
heute mancher Kunstgewerbler. Sonst hat man gerne
eine Ottomane dem Bett am Fußende vorgelegt, ja
mit diesem auch in einem konstruktiv verbunden. Hat
man einen besonderen Toilettenraum, dann brauchen
Wäsche- und Kleiderschränke nicht im Schlafzimmer
zu stehen. Die Einrichtung der modernen Schränke
dieser Art ist, wie früher schon erwähnt, für den
Inhalt genau ausgemessen. Der Hängeraum muß so
hoch sein, um die Röcke gut aufnehmen zu können.
Oberhalb desselben, im Inneren, befindet sich häufig
auch ein Brett für die Hüte. Eine Lade für das
Schuhwerk befindet sich zu unterst. Kleinere, separate
Laden und Fächer sind da für Spitzen, Bänder, Kra-
watten und Handschuhe, für Kragen und Manschetten usw., wie im Kapitel „Hausrat" beschrieben. Die
Schmutzwäsche kann man, wenn es an einer Boden-
kammer oder einem anderen geeigneten Gelaß fehlt,
in einem truhenähnlichen Behälter unterbringen, der

nötigenfalls im Vorzimmer stehen kann und häufig
als Sitzgelegenheit ausgenutzt ist, mit einem Deckel
oben zur Aufnahme der Schmutzwäsche und der von
unten aufklappbaren Vorderseite zur Herausnahme derselben, alles verschließbar natürlich. Das Nachtkästchen
gibt ebenfalls Möglichkeiten zu neuen, sinngemäßen Lö-
sungen. Man kann einen kleinen, glasschrankartigen
Aufsatz damit verbinden, der die Hausapotheke aufzunehmen hat. Leichte, helle Vorhänge, seitlich aufzuziehen, schützen das Gemach gegen Blicke von außen
her, sperren aber nicht das Licht aus. Vor dem Fenster steht die Toilette: ein vertikaler Spiegel mit zwei
im Winkel stehenden Flügeln, ein Gesimse davor, und
links und rechts vom Sitz kleine Laden für die gesamte
Kosmetik. Das alles ist sehr zierlich, sehr einfach,
sehr elegant.

Das Bad ist in unmittelbarer Nähe des Schlaf-
zimmers zu halten. Jede bessere Stadtwohnung hat
jetzt ihr Badezimmer. Ein regelrechtes Bad, mit seinen
weißen, glänzenden Kacheln, der vertieften Wanne,
den blankgeputzten Hähnen in der Marmorverschalung,
den glänzenden Apparaten, den technisch vorzüglich
eingerichteten Waschtischen, sieht immer einladend aus.
Im Schlafzimmer kann man sodann den Waschtisch
entbehren. Gerade was die Badeeinrichtung angeht,
so haben wir eine unbescholtene Vergangenheit. In
den glanzvollen Zeiten des Hausrats, von der Gotik
bis zum Rokoko, ist keine Rede von Badeeinrichtungen.
Die „Kunst" befaßte sich nicht damit; es blieb eine
rein technische Angelegenheit der neueren Zeit, darum
finden wir es heute in vollkommen von Stilarchitek-
turen unbeirrten, praktischen Formen vor. Nur rö-
mische Vorbilder existieren, und die sind sicherlich

auch mustergültig. Früher war man weniger heikel
in dieser Hinsicht; heute ist das Bad tägliches Be=
dürfnis für einen Menschen, der reine Wäsche trägt.

Man sieht, ein vollkommener Wandel in der bür=
gerlichen Wohnung ist im Zuge. Die Nutzräume tre=
ten wieder in den Vordergrund. Gesund zu schlafen
ist eine Vorbedingung des persönlichen Wohlseins.
Man wird wieder den geeignetsten Platz als Schlaf=
zimmer einrichten und die anderen Räume in zweiter
Linie und nach Maßgabe ihrer Wichtigkeit bedenken.
Bei diesen anderen Räumen ist Einschränkung eher
am Platze. Man muß keinen Salon haben; man kann
das Wohnzimmer als solchen benutzen, oder man kann
das Wohnzimmer mit dem Speisezimmer verquicken,
den Salon mit dem Arbeitszimmer, was gewiß das
allerrichtigste ist; oder es kann auch, wenn es nicht
anders geht, ein Raum für drei dienen, Wohnzimmer,
Salon und Speisezimmer in einem sein. Das Schlaf=
gemach muß hingegen ungeteilt bleiben, den Fremden
verschlossen, der Ort der Ruhe und der Träume.

---

15. Das Kinderzimmer.

Ein Zimmer kenne ich, das eitel Freude ist. Kunst
im vornehmen Sinne hat wenig dort zu schaffen, aber
das ist ganz recht. Die Kinder, denen dieser Raum zum
Aufenthalt dient, brauchen nicht zu fürchten, irgend=
einen kostbaren Gegenstand zu beschädigen. Nichts
soll die Freiheit ihrer Bewegung hemmen, und es ist
nicht nötig, daß sie sich benehmen, wie jene biblischen
vierzig Kinder, die sich samt und sonders betrugen wie
eines. Und das ist auch gut. Luft, Licht und Freiheit

muß das Kinderzimmer gewähren. Entweder die kleine
Schar tollt im Raum umher und erfüllt ihn mit fröh=
lichem Lärm, oder sie hocken still zusammen, betrachten
die kindlich einfachen Darstellungen an dem herumlau=
fenden Wandfries, wo allerlei Tiere dargestellt sind,
in jenen primitiven Formen, die der rege schaffenden
Phantasie der Kleinen noch genug freien Spielraum
zur Selbstbetätigung geben. Diese Bilder ebenso wie
das Spielzeug, das auf ähnliche Weise primitiv und
der kindlichen Anschauungsweise angemessen sein muß,
wollen die Sinne erziehen und vor allem das Auge.
Darum ist im Kinderzimmer die Farbe von so großer
Wichtigkeit. Es gilt, wie Gottfried Keller fein sagt,
„die Erhaltung und Unbescholtenheit des Auges".
Dazu gehört, daß man alles Häßliche, Verlogene und
Imitierte aus der Kinderstube fernhält. Eine Mutter
stellte kürzlich die Frage, wann sie mit der Erziehung
ihres vier Jahre alten Kindes beginnen sollte. Sie
ist aber nicht die einzige, die es nicht weiß, daß mit
der Erziehung des Kindes vom ersten Schrei an, den
es in der Welt tut, begonnen wird, und daß die Um=
gebung, die Kinderstube, auf rein sachliche Art er=
ziehlich wirken muß. Die Erziehung zur Farbenfreude
beginnt hier, damit das Auge einmal der getreue
Hüter und Wächter des Paradieses der farbenvollen
Weltherrlichkeit werde, an dem die meisten wie Aus=
gestoßene blind vorübergehen. Darum wird es gut
sein, im Kinderzimmer, dessen Wände im einfachen
Farbenton und sehr hell gehalten sein müssen, farbige
Wandbilder aufzuhängen, die in Rahmen zum Aus=
wechseln angebracht sind, damit man den Kindern von
Zeit zu Zeit etwas Neues bieten und den Kreis ihrer
Anschauungen erweitern kann. Der schönste Märchen=

und Tierfries, der an die Wand gemalt ist, wird auf
die Dauer langweilig und die geheime Wirkungskraft,
so groß sie auch anfangs immer sein mag, versagt
schließlich ganz. Auf die Wandbilder, die bei Teubner
und bei Voigtländer, Leipzig, erschienen sind, sei bei
dieser Gelegenheit hingewiesen; sie bieten manches
Gute. Beide Unternehmungen bringen farbige Ori-
ginal-Steinzeichnungen von Künstlern zu wohlfeilen
Preisen auf den Markt und man kann ihnen im ganzen
genommen das Zeugnis eines vortrefflichen volkstümlichen Erziehungsmittels ausstellen. Die Blätter bringen Heimatkunde, die Sage, das Märchen, das Tier-
leben, Bilder aus Dorf und Stadt zur Anschauung.

Während der untere Teil der Wände eines Kinder-
zimmers am besten in lichtem Holz getäfelt wird, entweder hell gebeizt oder lackiert, oder auch im Naturton
gehalten, um abgerieben werden zu können, setzt oberhalb des Getäfels der farbige Fries oder eine Reihe von
Wandbildern ein, in Leisten gefaßt, ziemlich außerhalb
des Bereiches der Hände; die Wand setzt sich oberhalb bis zur Decke in hellen Farben fort und trägt
ganz oben einen Blumenfries. Aber nicht immer ist
das nötig; Wand und Decke können weiß bleiben. Zur
Blumenpflege soll man Kinder früh anregen, sie ist
das beste Mittel zur Erziehung der Naturfreude und
der Beobachtungsgabe. Deshalb wird man gut tun,
unterhalb des Fensters ein Brett anzubringen, wo die
Blumentöpfe stehen, die von den Kindern selbst ge-
wartet werden. Das Licht soll von oben her auf die
Pflanzen fallen. Tische und Stühle läßt man am
besten nur säuberlich gehobelt, ohne Anstrich herstellen,
um sie stets gut waschen und reiben zu können, was
im Kinderzimmer sicherlich sehr häufig notwendig ist.

Wo es möglich ist, läßt man ein kleines Turngerät anbringen. Ein Arbeitstisch mit allerhand Werkzeugen ist hier gut am Platze, denn zu bauen und zu arbeiten fangen Kinder frühzeitig an. Im allgemeinen soll aber das Kinderzimmer kein Kramladen sein. Namentlich mit Spielsachen soll es nicht überhäuft sein. Sonst erzieht man zur Sprunghaftigkeit und Zersplitterung der Aufmerksamkeit. Zu zeichnen haben Kinder immer. Das ist die erste bildnerische Regung, die man an ihnen beobachtet. Die Eindrücke auf die Kinderseele sind so stark und plastisch, daß sie alle unwillkürlich ihre Gedanken graphisch darzustellen streben. Dieser Kunsttrieb, der wie ein schwaches Pflänzlein aufsproßt und umsichtiger, sorgfältiger, aber unaufdringlicher Pflege bedürfte, wird leider selten mit Verständnis behandelt und verkümmert allzu früh. Man wird daher sehr gut tun, an einer Wandstelle eine große Tafel mit Kreide und Schwamm anbringen zu lassen, daran der bildnerische Sinn der Kleinen sich betätigen mag. Feldblumen, bunte Steine, alles was die Kinder im Freien sammeln, und als kostbare Schätze daheim ausbreiten, bringen die Märchenstimmung in das kleine Reich, das sie mit den Gestalten ihrer ungebrochenen Phantasie bevölkern. Von der Zeit der ersten Gehversuche bis zum zwölften Jahre ungefähr währt die fröhliche Herrschaft der ungebundenen Phantasie. Wenn das Kind älter wird, tritt die illusionsschaffende Seite der Phantasie zurück, das Vorstellungsgewebe füllt sich immer mehr aus und die Ansprüche werden größer. Sobald das Mädchen nicht mehr den Schemel als Puppenbett verwenden will, die Knaben aus umgestürzten Stühlen nicht mehr eine „wirkliche“ Eisenbahn herstellen mögen, oder in einem Brett ein

Schiff und im Fußboden das Meer erblicken, sobald die
Kinder sich nicht mehr mit Eifer in die Rolle eines Tie-
res versetzen, seine Stimme und Bewegungen nachahmen
wollen und aufhören, sich gelegentlich als Lokomotive
oder Dampfschiff zu fühlen, wird ihnen die Kinderstube zu eng. Sie fangen an, die Kinderschuhe aus-
zutreten. Das zwölfjährige Mädchen fühlt sich als
Fräulein und bekommt ein neues Zimmer, eine neue
Welt. Die Buben „studieren". Weit hinten liegt die
Kindheit, wie eine selige Insel und an ihr gestrandet
eine ganze Arche Noah voll Kindersächelchen, ent-
seelt und entzaubert. Ein Reich in Trümmern, fernab
und vergessen.

16. Das Töchterzimmer.

Die Stellung der Frau im heutigen Leben ist ein
Kampf, ihr Kampf ist ein Suchen. Ihr Streben ist
Gleichberechtigung mit dem Manne in sozialen, politischen und beruflichen Dingen. Auf allen Gebieten
wetteifert sie mit ihm als ebenbürtige Genossin —
oder Rivalin. Das spürt man schon im Töchterzimmer. Die Nervositäten des Tages vibrieren bis in
die Stille des jungfräulichen Gemaches. Der Studien-
gang ist von fast männlicher Strenge und Härte, auf
den künftigen Struggle for life vorbereitend. Und dennoch liegt über den Dingen ein milder Abglanz weib-
licher Grazie, welche die Frau auch in den Härten
des Berufes als unschätzbares Gut bewahren will.
Die Zwittererscheinungen des dritten Geschlechts gehören einer kurzen Übergangsperiode an und sind, mit
dem Fluche der Lächerlichkeit beladen, von der Bild-

fläche verbannt. Das Töchterzimmer vor fünfzig
Jahren war gegen das heutige eine friedvolle Welt.
Das war damals ein liebliches Hindämmern an Bän-
dern und Kram, bis „der Großvater kam und die Groß-
mutter nahm". Vielleicht gleicht das heutige Töchterzimmer dem damaligen sehr stark an äußerlichen Stim-
mungselementen, aber innerlich ist es von ganz anderem
Leben erfüllt. Eine satte, lavendelschwere Luft lag in
dem Raum, wo durch weiße Gardinen der Tag hell
hereinschien, der Schreibtisch mit den dicken zylindrischen Füßen barg Schleifen und Andenken, himmel-
blaue Vergißmeinnichtlyrik auf antikisierenden Wunsch-
karten gedruckt, ein Päckchen Briefe voll lispelnder
Ach! in steifer Schrift geschrieben, abgestandene Par-
füms entsendend, wie ein altes, leeres Flacon, und aus
dem spindeldürren Spinett entstiegen in dünnen, ge-
brechlichen Tönen Mozarts graziöse Mennetts, Schu-
berts kindlich fröhliche Weisen, während durch die
Straßen die sentimentalen Klänge zogen: „Wenn's
Mailüfterl weht..." Die Lavendelstimmung ist heute
auch aus dem Töchterzimmer entschwunden. Im No-
tenständer neben dem Klavier finden wir Richard
Wagner, Hugo Wolf, Richard Strauß; Schubert und
Beethoven sind geblieben. Auf dem Tische häufen
sich Bücher, sogar Zeitschriften, Maeterlincks „Leben
der Bienen" liegt da; es liegt nicht nur da, es wird
auch gelesen. Was unter dem Titel „Mädchenlitera-
tur" einstens beliebtes Lesefutter war, ist nicht vor-
zufinden. Das Nähkörbchen im Fenster mit dem
Strickkörbchen im Fuße ist ebenfalls verschwunden,
es ist samt der „Mädchenlektüre" in der Rumpel-
kammer der Vergangenheit begraben. Blumen stehen
am Fenster, wie es auch einst war, Rosen im Glas

und, wenn es die Jahreszeit will, auch weiße Lilien.
Das ganze Gemach ist darauf gestimmt, eine Sym=
phonie in Weiß. Das Bett steht unsichtbar hinter
den weißen Vorhängen, die vom Plafond herunter=
gehen und tagsüber zugezogen sind. Weiße, feine Vor=
hänge, seitlich zu öffnen, verhüllen das Fenster, weiß
sind Decke und Wände, durch die bandartig ein Fries
geht, und an den Wänden hängen in schmalen, glat=
ten Rahmen Reproduktionen nach Burne Jones,
trauernde Frauengestalten mit keuschem Leib und sehn=
süchtigen Blicken, „Love in Ruins" und andere schmach=
tende Legenden, die der knospenhaft unerschlossenen
Gestalten präraffaelitischer Meister, die nun seit eini=
gen Jahren modern sind. Schmalhüftige, hochgezogene
Möbel stehen herum, fußfrei, so daß man unten bis
zur Wand blickt, was den Raum größer erscheinen
läßt, ein weiter Bücherschrank, zierliche Schränkchen
und Stühle, ein Toilettentisch mit facettiertem Glas
ohne Rahmen und mit Laden, die Toilettartikel darin
zu verschließen, im übrigen alles blitzblank und sau=
ber anzusehen, hier und da ein erlesenes Stück
eigenen Kunstfleißes, ein Tischläufer, eine Schutzdecke,
sauber genäht, mit modernem Muster. Der Boden=
belag ist einfarbig ohne Dessin, oder fast ohne solchen,
graublau im Ton und die Möbel sind lackiert. Blau
steht zu Weiß sehr schön. Dunkles Rot kann auch
verwendet werden. Hellgelbes Kirschholz ist von be=
zwingender Anmut. Ein solches Gemach wirkt schon
durch die Farbe wie ein Frühling. Stehen ein paar
feine Gläser auf dem Schränkchen, einige kleine Kunst=
gegenstände gut verteilt, Vasen, Porzellan aus Kopen=
hagen, blank und schimmernd, dann mutet es an wie
ein Festtag im Mai.

Solcherart erscheint das Töchterzimmer als ein Spiegel der Persönlichkeit, die darin lebt.

Und nicht nur der Persönlichkeit, sondern auch ihrer Zeit. Was die Ideale, Wünsche und Hoffnungen der Gegenwart sind, kann und soll man ja auch an diesem Ort verspüren. Die Zeiten sind jedenfalls vorbei, wo die Töchtererziehung kein anderes Ziel kannte, als unter die Haube zu kommen. Nichtsdestoweniger ist es sehr erfreulich, wenn sich im heutigen Töchterzimmer auch ein Kochbuch vorfindet. Die genaue Kenntnis des Hauswesens auf Grund eigener Betätigung ist auch für jede gebildete Dame eine selbstverständliche Voraussetzung. Die Vorbereitung auf irgendeinen selbständigen Beruf und auf das Leben, das draußen harrt, soll unter allen Umständen auch der Entwicklung häuslicher Tugenden Raum gewähren. Was immer die Zukunft erheischen möge, das Leben dürfte in diesen Raum nichts hereintragen, was irgendwie geschmackswidrig, schmutzig und anstößig ist. Man muß nicht hausbacken und prüde sein, aber man muß in allen Fällen auf seelische Hygiene bedacht sein, sowohl im Umgang mit Menschen, als mit Büchern und Dingen. Im allgemeinen dürfte das Töchterzimmer in allen Verhältnissen den oben geschilderten Charakter empfangen, bald einfacher, bald reicher ausgestattet, je nach den persönlichen Bedürfnissen und Möglichkeiten. Seine besondere Prägung wird es natürlich von dem Geiste erhalten, der darin haust. Die Wohnungspsychologie kann nicht leicht Fehlschlüsse ziehen. Man wird es auf den ersten Blick erkennen, ob die Inwohnerin Kunstgewerblerin, Beamtin oder Studentin ist. Die Individualität soll ja in den Dingen der Häuslichkeit am stärksten spre-

chen. Reinheit und Nettigkeit machen hier wie überall
den Hauptschmuck aus. Die Grazien werden sicherlich
auch das Gemach erfüllen, wenn sie die Inwohnerin
mit ihren Gaben beglückt haben, was natürlich nicht
zu bezweifeln ist. Wenn auch die junge Dame ein
angehendes „Fräulein Doktor" ist, braucht ihre Stube
nicht auszusehen wie eine Studentenbude. Es ist eine
bedenkliche Atmosphäre, wo Parfüm und Zigaretten-
qualm vermischt sind.

---

17. Blumen am Fenster.

Die Hausgärten sind aus unserer Stadt ziemlich
verschwunden. Der Utilitarismus der Bauunternehmer
hat nicht bedacht, daß die Naturfreude mit zu den
täglichen Lebensbedürfnissen der Stadtmenschen zählt.
In dem Maße aber, als Garten und Feld zurückwichen
und die Natur den ungastlichen Mauern entfloh, er-
wuchs in der Trostlosigkeit dieser Steinwüste eine seltsame, bleiche Stubenpflanze, die Natursehnsucht, die
recht eigentlich ein Großstadtprodukt ist. Und zugleich
ein wichtiger Faktor der Kultur. Wie tief diese Sehnsucht wurzelt, kann man an Sonn- und Feiertagen
sehen, wenn die Menge „aus der Straßen quetschender
Enge" ins Freie drängt, wenn sie an Waldungen und
Feldrainen Blumen errafft, um sie in die traurigen
Stuben zu stellen, wo sie sterbend noch einen Abglanz
von Sonnenfreude und Sommerluft verbreiten. Wenn
es irgendein Vollkommenes gibt, so ist es gewiß das
schöne, stille Sein der Pflanze und die Reinheit ihres
Lebens. Und was die Menschen für das Feinste an-
sehen, ist ihre Schönheit und ihr Duft. Sie wirkt mit

der Kraft eines Symbols. Ein einziger Zweig ins Zimmer gebracht, und ein ganzer Frühling ist zu Gast!

Die unklare Natursehnsucht des Städters gibt einen klaren Fingerzeig. Etwas sehr Wertvolles liegt darin, vielleicht ein neuer Zivilisationsfaktor, den man nur zu organisieren braucht. Anfänge sind vorhanden, um in die naturverlassene Stadt wieder die Gärten einzuführen. Jedermann in der Stadt kann seinen Garten vor dem Fenster haben; einen winzigen allerdings, aber ein Gärtchen immerhin. Einen Meter lang, ein Drittel breit, nicht größer als es das Fenstergesimse erlaubt, und die grün oder weiß gestrichene Einfassung, die dort aufzustellen ist. Für wenig Geld liefert der Markt die schönsten Blumen, und zwar je stärker die Nachfrage, desto billiger. Die Sache hat auch eine volkswirtschaftliche Bedeutung. Ein wichtiger Zweig der Landwirtschaft käme ins Aufblühen, die Blumenzucht. Man bedenke, was die Blumenkultur in Holland und in Frankreich wirtschaftlich bedeutet. Keine Stadt hat größeren Blumenbedarf als Paris und nirgends sind die Blumen billiger. Die Blumenmärkte von Paris sind eine Sehenswürdigkeit. Bei uns ist kaum noch der Sinn dafür aufgegangen, welche reiche Quelle von Freuden ein solches Blumenbrett ist, ein gut bestandenes und schön gepflegtes natürlich. Wenn aus dem Gesimse eine Blumenwildnis hervorblüht, die in den prangendsten Farben duftet und leuchtet, ist die Stube mit einem Male verwandelt. Die freundlichen Hausgötter der Traulichkeit und Wohnlichkeit sind plötzlich eingekehrt und walten mit Zaubermacht, mag auch der Hausrat noch so ärmlich sein. Es ist nicht nur eine liebliche Augenweide, o, noch viel mehr! Öffnet man am Morgen

6

das Fenster, dann trägt der Lufthauch ganze Wolken von Wohlgerüchen herein, die das Gemach erfüllen. Und welche Labsal ist es, abends hinter diesem kleinen Hausgarten zu sitzen! Eine Fülle von Segen strömt vom Fenster her in die Stube und in das Herz der Inwohner und hilft wohl irgendein Gutes im Leben fördern. Diese Blumenwildnis vor dem Fenster ist zwar kein vollkommener Garten, nicht einmal eine Laube, wie man sie einst hatte, aber sie ist etwas, was unter Umständen noch viel mehr sein kann, weil sich ein Persönliches damit verbindet. Denn die Liebe, die auf dem Grunde eines jeden guten Werkes ist, muß sich auch hier betätigen. Wer hier nicht säet, wird auch nicht ernten. Die Blumen am Fenster gedeihen nicht ohne aufmerksame Pflege. Das verursacht zwar eine kleine Mühe morgens und abends, aber was tut's? Kann man denn etwas lieben, um was man sich gar nicht zu bemühen braucht? Zumindest ist hier die Mühe eine Freude, die man nicht dem Dienstmädchen überlassen soll. Der bloße Pflichtbegriff ist giftiger Meltau für die Blumenpracht am Fenster. So etwas merkt man gleich. Nein, die Blumenpflege gehört der Dame des Hauses zu. Dann wird das Blumengärtchen zum Symbol, wo jede Pflanze von der Sorgfalt und der Liebe der gewiß liebenswerten Gärtnerin erzählt. Oft kommt man an einem Hause vorbei, wo an einem der Fenster Hortensien stehen und Nelken und Rosen, Pelargonien und brennende Liebe und je nach der Jahreszeit manche andere schöne Pflanze. Die schönen weißen Hände, die sichtbar werden, um mit so viel Liebe den Blumenstand am Fenster zu pflegen, zur eigenen Herzenslust und zur stillen dankbaren Freude des Vorübergehenden, geben ein sehr edles Beispiel. Eine neue Schönheit zieht in unsere Straßen ein. Da und dort bricht aus den Gesimsen eine solche blühende und duftende Blumenwildnis hervor. Und nun denke man sich diesen Blumenreichtum über alle Fenster, an allen Häuserreihen, bis ins höchste Stockwerk verbreitet: er müßte die Stadt in einen reizenden Garten verwandeln. Es müßte ein Segen sein fürs Auge und fürs Herz und auch für die Gesundheit. Die lebt ja bekanntlich vom Schönen, ebenso wie das Gute.

Aber nicht nur nach außen hin würde der Wandel eintreten, sondern auch nach innen. Eine Revolution hat die Blume in den Wohnungen hervorgebracht. Der Fall ist typisch: ist in irgendeinem Hause die Blumenfreude intensiv geworden, dann spürt man die Wohltat der Blumenherrschaft in allen Räumen. Die schweren Stoffgardinen, welche die vordem so beliebte Rembrandtsche Clair-obscur-Stimmung erzeugen sollten, werden entfernt. Luft und Licht strömen nun in vollen Fluten herein. Nun zeigt es sich auf einmal, welch ein lichtscheues Gesindel von Nippes und lächerlichem Aufputz die Wohnung verunstaltete, vom Makartbukett angefangen bis zu den japanischen Schirmen und Photographieständern, wie viel unkontrollierbare Staubwinkel allen Wänden und Möbeln entlang vorhanden sind. Die Umwälzungen, die von der stillen selbstgenügsamen Blume ausgehen, füllen ein lustiges Kapitel. Wir wollen uns einmal flüchtig daran erinnern, daß unsere Großeltern eine solche feine Kultur besaßen, zu der wir jetzt erst wieder den Anfang machen. Treten wir in die Tür unserer Großväter, dann finden wir ein helles Gemach mit weißen Gardinen, einfarbigen oder weißen Wänden, hellgelben

6*

Kirschholzmöbeln, und als Herrscherin und Hüterin
dieser einladenden, traulichen Stimmung die Blumen,
unsere heimatlichen Bauernblumen in weißen Töpfen,
lieblich anzuschauen. In der Blumenliebe liegt etwas
sehr Edles. Der Anfang von Kunst liegt in ihr. Was
die Blumenpflege für die Kultur bedeutet, mag man
in der ausgezeichneten Schrift „Makartbukett und
Blumenstrauß" von Alfred Lichtwark nachlesen. Von
den Blumen der Heimat muß man ausgehen, sie pas-
sen zu unserem Dasein. Wir finden sie in den beliebten Blumenstücken der früheren Zeit, in den Vor-
gärten der alten Landhäuser und in den Bauern-
gärten. Nur die Modesucht hat sie verachtet. Darum
sollen sie zu Ehren gebracht werden.

18. Die Arbeiter= oder Kleinbürgerwohnung.

Auch die Arbeiter= oder Kleinbürgerwohnung kann
ein Schmuckkästchen sein, was Nettigkeit und Ordnung
betrifft, ein trauter Raum, in dem man gern verweilt,
der nicht nur bewohnbar, sondern auch wohnlich ist
und dem Kneipen= und dem Tingeltangelwesen wirk-
sam entgegenarbeitet. Der Andrang in Kneipen und
Tingeltangeln, die rohe Duzbrüderschaft lassen unfehl-
bar auf ein zerrüttetes Hauswesen schließen. Soll
man also die arme volkreiche Stadt, wo sich die Wohnungen aneinander und übereinander bauen, zahllos
wie die Zellen eines Bienenkorbes, wohnlich finden
und das Gefühl der Heimatlosigkeit verlieren, so muß
von dem Innern der Häuser her aus den Wohnungen
der Eindruck verschwinden, daß fast alle, ob arm oder
reich, Fremdlinge im eigenen Heim geworden sind.

Nun bilden die erfreulichen Bildungsbestrebungen der modernen intelligenten Arbeiterschaft freilich die sicherste Gewähr dafür, daß sich der Ausbau einer inneren Kultur langsam vollzieht, der sich denn auch nach außen hin in höheren Geschmacksforderungen da und dort geltend macht. Im allgemeinen aber sieht es noch ziemlich schlimm aus. Aber auch dem einfachsten Manne, der, von diesen geheimen Triebkräften berührt, Aufklärung sucht, wie er es in seiner Wohnung anfangen müsse, kann geholfen werden. Aus den Andeutungen der früheren Kapitel müßte sich eigentlich alles ableiten lassen, was der kleinen Wohnung des Arbeiters und Handwerkers frommt. Die Wände des Zimmers und der Kammer werden jedenfalls ganz weiß getüncht sein, einen einfachen Fries tragen und jedes Jahr mit verhältnismäßig geringen Kosten nachgetüncht werden können. Einfaches, helles Zeug hängt als Zuggardine, seitlich aufzuziehen, in schlichten Falten von den Fenstern herab, wo Blumen stehen und dem ganzen Raum eine freundliche Stimmung geben.

Die Möbel sind ganz einfach, aus weichem Holz, gut und sorgfältig gemacht, in geraden Leisten und Brettern zusammengefügt. Reines, einfaches Tischlererzeugnis ohne Künstelei. Die Farbe kann an solchen Möbeln, wofern sie nur in guten und richtigen Verhältnissen hergestellt sind, alle Schönheit hervorbringen. Überhaupt müßte die Schönheit des Raumes zum Teil in der farbigen Wirkung gesucht werden. Das weiche Holz läßt sich auf verschiedenartige Weise beizen, und man könnte zu dem Weiß der Wände einen graublauen Holzton oder einen dunkelblauen oder kirschroten vorteilhaft verwenden, von zahllosen an-

deren Abstufungen nicht zu reden. Man vermeide
durchaus, irgendeinen Zierat anbringen zu wollen.
Schönheit kommt aus der zweckvollen Durchbildung,
aus der schönen Proportion der Maße und endlich
aus der glücklichen Farbenwirkung. Nur ein paar
Haupttöne sollen vorherrschen. Nebst dem Weiß der
Wände irgendein kräftiger farbenfroher Ton an den
Möbeln, der auch die einfachsten Stücke bedeutsam
macht und den Sinnen näher rückt. Man ahnt für
gewöhnlich gar nicht, wie leicht die Sinne auf die
farbige Erscheinung reagieren. Weißlackierte Möbel
sind das Zeichen einer ganz feinen Kultur. Für billigen und künstlerischen Wandschmuck haben verschiedene Firmen gesorgt, wenngleich auch nicht alle be-
rechtigten Erwartungen erfüllt worden sind. Als
schönster Schmuck kommen wieder die Blumen in
Betracht.

In allen Städten sind die Künstler am Werke,
auch dem kleinen Mann zu geben, was des kleinen
Mannes ist. Eine wesentliche Aufgabe aller jener,
die am Ausbau der modernen Kultur betätigt sind,
ist es, das Interesse des Volkes auf die Dinge zu
lenken, die sein eigenes Wohl betreffen und zur Mit-
arbeit an diesem Kulturgedanken anzuregen. Jeder
kann an der Schönheit der Erde und des Lebens mit-
tun und Kulturarbeit verrichten. Jeder tut es, der
sein eigenes Feld wohlbestellt und bei seinem Hause,
bei seiner Wohnung, seinem Heim anfängt. Im Sinne
dieses Kulturgedankens wolle auch dieses Buch verstanden und als Freund und Führer benutzt werden.

19. Käuferregeln.

Gebrauchsgegenstände.

Bei Gebrauchsgegenständen sehe man darauf, daß sie ihre Bestimmung klar und deutlich ausdrücken; daß sie kein anderes Material vortäuschen, als das, aus dem sie gefertigt sind; daß sie nicht so sehr durch ein Ornament, als vielmehr durch die solide Arbeit schön sind.

Schreibmappen und Albums mit Lederrücken aus gepreßtem Papier, Schildpattkämme aus Zelleloid, Broncen aus Zinkguß, Seidenblusen aus Baumwolle, sogenannte echtvergoldete Schmucksachen, Brieftaschen in Juchtenimitation, bunte Stoffe, die im ersten Sonnenstrahl verschießen, sind nicht nur geschmacklos, sie sind trügerisch und zu verwerfen. Vor den Begriffen Galanteriewaren und Luxusartikel ist zu warnen. Es gibt keine Galanteriewaren oder Luxusartikel an sich. So werden Dinge genannt, die gewöhnlich für nichts gut und nützlich sind.

Kunstgegenstände.

Die Kunstgegenstände, die sehr häufig als Schmuck der Wohnung oder zu Geschenkzwecken gekauft werden und zugleich einer praktischen Verwendung dienen sollen, sind mit Vorsicht aufzunehmen. Gebrauchsgegenstände, wie Uhren, Tischglocken, Vasen, Aschenbecher, Schreibzeuge, Photographienständer, Tischgerätschaften, Dosen, Schalen und ähnliche Dinge, müssen ihre Schönheit auch ohne Zierat bewähren und sind auf die Qualität hin sehr streng zu prüfen, wenn sich Verzierungen, figurale oder ornamentale, daran finden.

Gebrauchsgegenstände, die wegen solcher Verzierungen
als Kunstgegenstände angepriesen werden, gehören in
den häufigsten Fällen zu jener Gattung von Kunst,
die eine unerlaubte Spekulation auf die Unerfahren-
heit des Publikums darstellt.

Wenn Gebrauchsgegenstände künstlerisch sind, dann
sind sie es durch die zweckmäßige, schlichte Form, durch
die gediegene Arbeit, durch die Echtheit des Materials
und durch die sachliche Anmut. Gebrauchsgegenstände
sollen also ihre Bestimmung klar ausdrücken und nicht
nebenher noch Kleinplastik zum Schmuck des Hauses
sein wollen. Wenn Kleinplastik verlangt wird, so soll
auch diese als Kunstgegenstand im eigentlichen Sinne
um ihrer selbst willen da sein.

Kleingerät.

Im allgemeinen ist man leicht bereit, für sogenannte „Schmücke dein Heim" = Artikel oder Luxusartikel verhältnismäßig teure Preise zu bewilligen und
sich für den notwendigen Alltagsgebrauch mit billigem
und minderwertigem Kleingerät zu begnügen. Gerade
an dem Kleingerät sollte nicht gespart werden, weil
es dauernd starker Benutzung unterworfen ist und
deshalb hohe Qualitäten besitzen muß. Seine Be-
schaffenheit ist ein untrügliches Maß für den Geschmack und die innere Gediegenheit des Besitzers.
Ein Heim, in dem diese Dinge in Ordnung sind, kann
jenen fälschlichen Luxus entbehren, der nur zur Zier
dasteht und lediglich den Zweck erfüllt, Blößen und
Mängel zu verbergen. Die Grundsätze der Qualität
und der organischen Formgebung mit dem Verzicht
auf wohlfeile Ornamentation sollten bei allen Dingen
beachtet werden, die unter den Gattungsbegriff Klein-

gerät für das Haus, für den persönlichen Gebrauch und für den Alltag in Betracht kommen können, wie Tisch=geräte, Toilettegarnituren, Service, Dosen, Beleuch=tungskörper, Lederarbeiten, Möbel, Schreibzeuge usw.

Beleuchtungskörper.

Bei Beleuchtungskörpern soll das Publikum dar=auf sehen, daß die Gebilde ihre Bestimmung ohne Um=schweife ausdrücken und die Vorzüge eines guten Ma=terials mit einer peinlich sauberen Arbeit besitzen. Denn die Beleuchtungskörper sind Maschinen= und Industrieprodukte, und wir können deshalb nur er=warten, daß die Durchschnittsware von Tischglocken, Tastern, Lichtträgern, Lampen und Lustern die sach=lichen Gebote des guten Geschmackes erfüllen. Pla=stische Gestaltungen, figurale und symbolische Form=erfindungen werden in Verbindung mit der Beleuch=tungsabsicht in schlechtem Gußmaterial häufig als Schundware geboten, weshalb zu raten ist, sich an ganz sachliche und glatte Gegenstände dieser Art zu halten, die sich durch nichts empfehlen können, als durch gute Ausführung. Es gibt natürlich auch in den Beleuchtungsgegenständen künstlerisch bestimmte Zierformen oder individuelle Kunstgebilde, die aber in der Regel als Unika dastehen: sicherlich haben sie nicht die Bestimmung, als wohlfeiler Massenartikel den Markt zu beherrschen.

Metallgeräte.

Hier soll der gebotenen Kürze halber bloß die Warnungstafel stehen, daß ein Wust undefinierbarer Ornamentpressung in minderwertigen Kompositions=metallen erscheint, der unter folgenden Namen emp=

fohlen wird: „Kunstguß", „Kunsteisenguß", „Zinn=
guß", „in den neuesten Bronzetönen patiniert, irisie=
rend in der Art der Wiener Bronzen", oder „in der
Art der französischen Bronzen".

Diese Erzeugnisse, die schon durch ihre Form ag=
gresiv wirken, stellen sich als Tafelaufsätze, Schreib=
tischgarnituren, Tischgerätschaften, Dekorations=Zinn=
teller und Ehrenbecher vor. Dagegen gilt die Regel, -
allen dekorierten Schund beharrlich zurückzuweisen!

Edelmetallarbeiten.

Auch hier gibt es eine Handwerkskunst, die Unika
erzeugt, und eine Massenindustrie, die in ästhetischer
Beziehung der herrschenden Konvention des guten oder
schlechten Geschmackes folgt. Die Formen können auch
für die Massenproduktion künstlerisch vorbestimmt sein,
aber es soll darüber Klarheit herrschen, daß der Fas=
sonwert verhältnismäßig immer gering sein wird. Der
Durchschnitt des Schmucks, der in Läden erhältlich ist,
Ringe, Broschen, Armbänder, ist maschinell hergestellt,
mit den „Galerien" für die Brillantenfassungen ver=
sehen, und der heutige „Goldschmied" hat die Arbeit
des „Montierens". Er ist einseitiger Spezialist im
Brillantenfassen geworden; das Leben hat ihm in
der Regel keine Aufgaben zu stellen.

Das kommt ein gut Teil daher, daß das Publi=
kum noch immer der unbegreiflichen Meinung ist, daß
sein gelegentlich erstandener Alltagsschmuck „Gold=
schmiedekunst" sei. Wer will, kann immerhin noch das
so selten Gewordene finden. Vielleicht genügt es, das
Unterscheidungsvermögen zu schärfen.

Lederwaren.

Bei allen aus Leder gefertigten Gegenständen, wie Taschen, Handtäschchen, Portemonnaies, beruhen die wesentlichen Momente der Degradation in der künstlichen Narbung, durch welche die charakteristische Oberfläche des Leders ungünstig verändert wird. Schaf-, Kalb-, Ziegen- und Schweinsleder werden so bearbeitet, daß Schafleder wie Kalb-, Saffian- oder Schweinsleder aussieht, während Ziegenleder mit allen möglichen Narben versehen und Schweinsleder wie Levantsaffian genarbt wird. Ferner wirkt der schwere Druck der Narbenprägung schädigend auf die Qualität, ebenso wie der Gebrauch mineralischer Säuren beim Färben. Alle diese Prozeduren haben in der Regel den Zweck, einer minderen Sorte den Anschein einer höheren Gattung zu geben. Besonders verderblich ist das Schärfen dicker Häute, wobei die zähen Fasern des inneren Teiles der Haut weggeschnitten werden und nur die Narbung bleibt, die nur einen sehr geringen Grad von Haltbarkeit besitzt. Als Meisterstück des Taschners wird die Fertigkeit betrachtet, ein Fell so dünn zu schaben, daß es in eine Wallnuß geht. Dieser falsche Ehrgeiz, der in einer rein technischen Herrschaft gipfelt und eine Vergewaltigung des Materials bedeutet, erklärt zur Genüge die durchschnittliche Minderwertigkeit auch der sogenannten besseren Lederwaren. Für den Qualitätsniedergang der Lederfabrikation ist bezeichnend, daß die Einbände, die dreißig Jahre alt, dem Verfall nahe sind, während die alten Bände Jahrhunderte überdauert haben und heute noch durch ihre Festigkeit überraschen. Die gewöhnlichen gangbaren Sorten von sogenannten Saffiantäschchen, Hand-

taschen, Portemonnaies usw. besitzen im allgemeinen
nicht für länger als ein Jahr Haltbarkeit. Es kann
uns nicht wundern. Der Käufer soll wissen, daß die
schönste Handtasche für M. 5 nicht länger halten kann.

Bucheinband

Hier ist zwischen dem Verlegereinband, einem Produkt der maschinellen Massenherstellung, und den kunst-
handwerklichen Einbänden, die Unika sind, zu unter-
scheiden. Diese können in künstlerisch hochkultivierten
Händen zu feinen Kunstwerken gesteigert werden —
eine Sache für den Liebhaber und Kenner, auch was
den Preis betrifft, nicht für die Masse der Käufer,
die auf den Verlegereinband angewiesen ist. Aber
auch der Verlegereinband soll auf der Höhe des guten
Geschmackes stehen. Es gibt auch solche schon in
Deutschland, dank einiger vornehm gesinnter Verleger.
Vor allem wehre man sich gegen übermäßige Vergol-
dung und Verzierung, die als Klischeeprodukt meistens
doch nur eine Maske für die schlechte Materialqualität
des Einbandes darstellt, und in Gemeinschaft mit den
falschen Bünden am hohlen Rücken auftritt, die eine
üble maschinelle Nachahmung der alten Handwerks-
technik sind.

Die englischen Kalikoeinbände, die nur als Bro-
schierung gelten, und in die das Buch unbeschnitten
„eingehängt" ist, geben ein gutes Vorbild, dem der englische Buchladen sein diszipliniertes Aussehen verdankt.

Stoffe, Stickereien und Teppiche.

In betreff der dekorativen Stoffe und Nadelarbeiten, die im Hause gebraucht werden, gibt es heute
keine Schwierigkeit mehr, das Richtige zu finden, da

ein neuer Stand von Künstlern und Kunstgewerblern
auch auf diesen Gebieten die Forderung des guten
Geschmackes reichlich erfüllt hat. Wir finden Vor=
hänge, Teppiche, Möbelstoffe und Nadelarbeiten, die
in bezug auf die farbigen Eigenschaften und auf die
flächenhaft betonte Musterung den Absichten der Raum=
kunst und der geschmackvollen Wohnungsausstattung
vollauf Genüge tun.

Nicht das naturalistische Vorbild entscheidet, son=
dern die Sprache des Materials, der Technik und die
disziplinierte oder rhythmisch geordnete Ornamentie=
rung der Fläche. Ohne die Freiheit der Zeichnung
zu beschränken, ist das Gesetz der sinngemäßen rhyth=
mischen Flächenteilung unter allen Umständen verbind=
lich, sei es, daß es sich um Stoffe handelt, die im
Faltenwurf wirken, oder um Wandbespannungen und
Teppiche, oder um kleine, gewebte oder gestickte For=
men, wie Tischläufer, Decken oder Kissen, deren Glie=
derung von der quadratischen oder rechteckigen Grund=
form ausgeht. Auch bei Teppichen hat man recht,
wenn man einer möglichst abstrakten, flächenhaften
Zeichnung den Vorzug gibt, weil es für unser Emp=
finden widerwärtig ist, naturalistisch behandelte Blu=
men unter den Füßen zu haben. Noch schlimmer ist
es, wenn figürliche Szenen, wie sie alten Wandtep=
pichen entnommen oder aus Mißverstand neu ersou=
nen werden, in Fußteppichen auftreten. Eine ruhige
Tönung und ungeachtet dessen ein harmonischer Far=
bengegensatz in der breiten Bordüre und ein eigen=
artiges Muster zeichnen die guten alten, sowie die
künstlerisch hervorragenden neuen Teppiche aus. Hier
wie überall hat das abstrakte Ornament seine Berech=
tigung. Aber es ist klar, daß die Ornamente auch)

an natürliche Formen, wie Blumen und Blätter, an=
klingen und derartige Ideenverbindungen anregen
können. Für die Haupterscheinung wesentlich ist, daß
die ornamentalen Elemente in rhythmischer, das heißt
in architektonisch gebundener Ordnung auftreten. Was
die Farbenwahl betrifft, so ist selbstverständlich, daß
ungebrochene, klare Farben, von der zartesten bis zur
kräftigsten Tönung, den Vorzug verdienen. Um eine
koloristische Unruhe im Raum zu vermeiden, wird im
allgemeinen der Grundsatz angenommen, daß in einem
bestimmten Raum ein Hauptton vorherrscht, der gleich=
sam als Hintergrund wirkt, auf dem sich die einzelnen
kleinen Träger des farbigen Lebens, wie Blumen,
Vasen, Bilder, Stickereien, in kräftiger Kontrastwir=
kung absetzen. Beim Einkauf von Geweben soll die
Frage nach der Echtheit des Materials zur Bedingung
gehören. Man versichere sich nicht nur über die Ma=
terial= und die Lichtechtheit, denn je nach der Beson=
derheit der Fälle kann die Waschechtheit, Schweiß=
echtheit, Bügelechtheit, Reib= und Schmutzechtheit in
Frage kommen.

---

20. Winke für die Möbelanschaffung.

Wie allgemein bekannt ist, hat sich in den letzten
zehn bis fünfzehn Jahren ein bedeutender Umschwung
in der Möbelproduktion vollzogen, so daß wir im
Vergleich zur vorigen Generation gänzlich veränderten
Verhältnissen gegenüberstehen. Bis in die neunziger
Jahre war die Nachahmung alter Stile unerläßlich.
Im Verborgenen blüht auch heute noch diese Nach=
ahmung der alten Stile, die gänzlich industriali=
siert ist, so daß selbst die Holzschnitzereien mit der

Maschine billig und schleuderhaft imitiert werden. Im Gegensatz zu dieser traurigen Praxis haben die modernen Künstler seit fünfzehn Jahren an der Schaffung eines neuen, konstruktiven Stils gearbeitet. Den Forderungen des maschinellen Großbetriebes zufolge und wohl auch den sachlichen Bedürfnissen gemäß, haben Formen die Herrschaft erlangt, die sich durch größte Schlichtheit und Zweckmäßigkeit auszeichnen, auf Dekors verzichten, wenn sie nicht eine wirkliche künstlerische Leistung darstellen, die man freilich auf dem Markt nicht anzutreffen hoffen darf. Einfache, glatte Möbelformen also, die sich mehr durch gute, passende Proportionen und durch möglichst saubere Arbeit auszeichnen.

Was den Kostenpunkt betrifft, so wird man im großen und ganzen daran festhalten können, daß jede Sache gut für ihren Preis ist. Man kann nicht außerordentliche Qualität und außerordentliche Billigkeit zugleich beanspruchen. Man muß sich vor Augen halten, daß die wesentlichen Preisunterschiede nicht so sehr durch die Verschiedenartigkeit der Holzsorten, wofern man nur die gangbaren in Betracht zieht, verursacht wird, sondern vielmehr durch die Sorgfalt der Ausführung und durch etwaige Extrawünsche, die der Herstellung besondere Schwierigkeiten auferlegen. Die Kalkulation hat ihren Schwerpunkt derart verschoben, daß die Unterschiede der Holzpreise keinen Ausschlag mehr geben. Die Tarifmäßigkeit der Löhne, die durchgängig gleichen Holzeinkaufsbedingungen, die annähernd gleich hohen (außerordentlich hohen) Regiekosten im Großbetriebe (hundert bis hundertundzwanzig Prozent und noch mehr) haben fast durchweg die annähernd gleichen Preislagen geschaffen, soweit es sich um marktgängige

Ware handelt. Dabei ist zu beachten, daß der Groß=
betrieb nicht billiger arbeitet als der Kleinbetrieb, er
arbeitet nur rationeller und ist daher imstande, den
großen Markt zu versorgen. Der einzelne Besteller
wird hier und da auf dem Lande oder in einer kleinen
Stadt Gelegenheit haben, seine Aufträge an kleine
Gewerbetreibende des Tischlerhandwerkes zu erteilen,
und er wird oftmals bei guter Arbeit sehr viel billiger
davonkommen, sobald er es versteht, mit seinem Tisch=
ler geistig zu arbeiten und ihm in bezug auf Form,
Anordnung und in sonstigen Geschmacksfragen bindende
Vorschriften zu machen. Der Zweck dieser Zeilen ist
es ja, den Besteller anzuregen, daß er zum aktiven,
zielbewußten Mitarbeiter seines Auftragnehmers wird.
Ich will aber gleich hinzufügen, daß nicht jeder in
der Lage sein wird, sich mit einem kleinen Betriebe in
persönliche Beziehungen zu setzen und auf diese Weise
auch materiell vorteilhafte Erfahrungen zu machen.
Für die große Masse ist wohl der nächste und be=
quemste Weg immer der in die Musterlager der vielen
neueren Möbelfabriken und Werkstätten, die bereits in
allen größeren Städten existieren.

Die große Menge will immer rasch bedient sein
und bevorzugt daher das auf dem Lager Vorrätige,
weil sie es sofort haben kann. Wenn es sich um Ein=
richtung ganzer Zimmer handelt, wird man sich aller=
dings in den häufigsten Fällen entschließen müssen,
seine Wünsche mit einem Fachmann durchzuberaten
und sich mit der Frist, die zur Anfertigung der Möbel
benötigt wird, abzufinden. Die meisten Besteller rich=
ten sich darauf ein, daß sie ihre Zimmereinrichtungen
in zwei bis drei Monaten geliefert bekommen. Es muß
aber ausdrücklich darauf aufmerksam gemacht werden,

daß infolge dieser Kurzfristigkeit besondere Qualitäts=
ansprüche nicht erfüllt werden können. Ein gut gearbei=
tetes Möbel verlangt eine langsame Herstellungsweise.
Wer nicht imstande ist, seinen Auftrag mindestens ein
halbes Jahr vor der Ingebrauchnahme zu erteilen, muß
gewärtig sein, daß sich die forcierte Schnelligkeit der
Herstellung in mancherlei Mängeln später rächen wird.
Es sei denn, daß der Besteller das Glück hat, geeig=
nete Musterzimmer oder einzelne Möbel, die seinen
Voraussetzungen entsprechen, fertig auf dem Lager
zu finden.

Die großen und bekannten Firmen stehen in mehr
oder weniger festen Beziehungen zu modernen Ent=
wurfskünstlern, welche die herrschende Geschmacksrich=
tung bestimmen. Oder es sind Musterzeichner ange=
stellt, die ihre Zeichnungen mehr oder weniger den
geltenden Grundsätzen anpassen, so daß heute ein er=
träglicher Geschmack durch die ganze Produktion geht,
erfreulicherweise auch dort, wo es sich um ganz
maschinenmäßige, großindustrielle, rein zweckmäßige
Herstellung handelt, so zum Beispiel in den Fabrika=
tionszweigen für Kücheneinrichtungen und Küchen=
möbel, Bureaumöbel und ähnliche Industrien. In
den neuen kunstgewerblichen Werkstätten hat der Be=
steller immer Gelegenheit, seine Wünsche mit einem
Angestellten durchzuberaten, ohne Gefahr zu laufen,
mißverstanden zu werden. Am beneidenswertesten sind
die Besteller, die sich von vornherein der Mitwirkung
eines anerkannten kunstgewerblichen Entwurfskünstlers
versichern können, denn dann sind sie gewiß, Räume zu
bekommen, die aus einem Guß sind, sowohl was die
Zweckmäßigkeit, die Form und die Anordnung der
Möbel betrifft, als auch die farbige Stimmung der

7

Räume, die Wahl der Tapeten, der Stoffe, der Teppiche,
der Vorhänge usw. Es ist natürlich, daß ein solcher
Künstler, dessen Lebensaufgabe es ist, schön gestimmte
Räume auszudenken, ungleich bessere Ideen zur Hand
hat, als etwa der bloß handwerklich Industrielle, oder
der geschäftliche Fachmann. Wer sich also vorweg an
einen Künstler wendet, der hat den Vorzug, nicht nur
in den Ausstattungsfragen, sondern auch in finan-
ziellen Angelegenheiten, wie etwa der Beschaffung rich-
tiger Kostenvoranschläge usw., einen Anwalt seiner
Interessen, auch dem Fabrikanten gegenüber, zu besitzen. Die Entschädigung, die der Künstler von seinem Klienten beansprucht, es sind etwa zehn bis fünfzehn Prozent, kommt auf diese Weise reichlich wieder
herein, und ist obendrein durch die Genugtuung auf-
gewogen, daß der erhöhte künstlerische Geschmack
solcher Räume eine dauernde Freude gewährt. Man
hat in der Regel nichts zu bereuen, wenn man seinen
Künstler gefunden hat.

Mit Beziehung auf das Vorhingesagte können hier
nur in ganz allgemeinen Zügen die Preislagen und
ihre Unterschiede je nach den durch das Material ge-
schaffenen Bedingungen angedeutet werden. Die gangbaren Hölzer, die gewöhnlich zur Verwendung kommen, sind außer Fichte und Kiefer, die mit einer
Farbe gestrichen oder lackiert werden und am billig-
sten zu stehen kommen, folgende: Eiche, Birke, Ahorn,
Mahagoni, Ulme, Birnbaum, Buche und Nußbaum.
Die Preisunterschiede zwischen diesen Hölzern spielen
nicht so sehr eine Rolle, als vielmehr die Behandlung,
die für den Kostenpunkt ausschlaggebend ist. Demnach
wird festzuhalten sein, daß Möbel mit Hochglanzpolituren aus einer dieser Holzsorten ungleich höher zu

stehen kommen als die Möbel in denselben Holzsorten,
wenn sie nur gebeizt oder mattiert geliefert werden.
Der auffallende Preisunterschied erklärt sich einfach
dadurch, daß Hochglanzpolituren sehr viel umsichtige
und zeitraubende Arbeit erfordern. Gut polierte Möbel
können gar nicht rasch geliefert werden, weil das Po-
lieren eine gewisse Trockenzeit erfordert, bis wieder
eine neue Schicht, die Überpolitur, aufgenommen werden kann. Wird der Arbeitsprozeß beschleunigt, so ist
die Politur nicht haltbar, es scheiden sich nach einiger
Zeit die harzigen Bestandteile aus, die auf der Oberfläche als körnige Substanz erscheinen, die Fläche wird
trüb und verliert ihr glattes, sauberes, spiegelndes,
schmucksteinähnliches Aussehen. Es soll nicht uner-
wähnt bleiben, daß gewisse Holzsorten ihre volle
Schönheit erst in poliertem Zustande zeigen und daher für Polituren prädestiniert erscheinen. Das sind
vor allem alle edlen Hölzer, zunächst Mahagoni, dann
Ahorn, Birke, Kirschbaum, Birnholz, Erle usw. Eiche,
Nußbaum und Buche dagegen werden im mattierten
Zustand bevorzugt. Die Hölzer können auch mit Beizen
versehen und anders gefärbt werden. Im allgemeinen
soll man es vermeiden, einem geringeren Holz durch
Farbenbeize das Aussehen von kostbarem Holz zu geben.
Es ist auch nicht zu vergessen, daß viele Farbenbeizen,
die man aus koloristischen Gründen anwendet und die
sich oft durch große Schönheit auszeichnen, nicht immer
die Erwartungen in bezug auf Dauerhaftigkeit recht-
fertigen. Sie verfärben sich, es sei denn, daß Anilinfar-
ben vermieden werden und nur solche Farben zur Anwendung kommen, von denen man den Beweis hat,
daß sie sich unter keinen Umständen verfärben. So zum
Beispiel wird graugebeiztes und poliertes Ahorn, das

7*

man eine Zeitlang mit großer Vorliebe angewendet
hat, schon nach einigen Jahren gelblich von unaus=
gesprochener Nuance und büßt dabei einen großen
Teil seiner anfänglichen Schönheit ein. Weiche Höl=
zer, wie Fichte und Kiefer, werden, wie schon gesagt,
gestrichen oder lackiert, oft bemalt oder einfach mit
Firnissen überzogen, um ihren Naturton beizubehalten;
das letztere geschieht auch häufig der Billigkeit wegen.
Damit es nicht an ein paar Anhaltspunkten fehle, sei
hinzugefügt, daß ein Schlafzimmer aus Kiefer oder
Fichte, gestrichen, mit gemaltem Ornament versehen,
oder weiß lackiert, zwischen 400 bis 700 Mark zu
stehen kommt, wobei das Schlafzimmer folgende Möbel
enthält: ein Bett, ein Nachtschränkchen mit Marmor=
platte, einen Waschtisch mit Marmorplatte, einen Spie=
gel, eine Kommode und zwei Stühle. In Eiche würde
dasselbe ungefähr ein Drittel mehr kosten. Die Möbel
eines einfachen Wohn= und Eßzimmers und zwar: ein
Sofa, ein Kredenzbüfett, ein Ausziehtisch, ein Arm=
lehnstuhl, vier Stühle würden in gebeiztem oder mat=
tiertem Mahagoni 1000 bis 1200 Mark kosten, in
poliertem Zustand etwa 1500 Mark. Darunter sind
gut gearbeitete Möbel nach modernem geschmackvollem
Entwurf verstanden, die handgearbeitet sind, soweit es
sich bei dem heute gänzlich industrialisierten Tischler=
gewerbe überhaupt denken läßt. Reiche Ausführungen
mit Einlagearbeiten usw. müssen den Preis natürlich
erheblich steigern. Daneben gibt es sachlich gute,
maschinenmäßig hergestellte Fabrikmöbel aus denselben
Hölzern von anständigen Formen, die bedeutend bil=
liger zu stehen kommen und durchwegs einem mittleren
Publikum empfohlen werden können. Man kann ein
Speisezimmer oder ein Schlafzimmer solcherart schon

zwischen 300 bis 500 Mark haben. Unter Umständen noch billiger. Bindendes läßt sich hierüber nicht sagen. Wer in die Lage kommt, der Frage praktisch näher zu treten, studiere die Kataloge unserer bekannten Firmen und er wird alsbald den wünschenswerten Einblick in die Details finden.

Ende.